SALMOS (*TEHILÍM*)
Una conversación entre un católico y un judío

Hernán Cardona Ramírez, SDB
Memo Ánjel

Salmos (*Tehilím*). Una conversación entre un católico y un judío
ISBN: 978-958-764-416-6
Primera edición, 2017
Escuela de Teología, Filosofía y Humanidades
Facultad de Teología
CIDI
Grupo: Teología, religión y cultura
Proyecto: Salmos, una lectura judeo-cristiana

Dirección editorial:
Editorial Universidad Pontificia Bolivariana, 2017
E-mail: editorial@upb.edu.co
www.upb.edu.co
Telefax: (57)(4) 354 4565
A.A. 56006 - Medellín - Colombia

Radicado: 1511-21-10-16

223.2
C268

Cardona Ramírez, Hernán, autor
Salmos (*Tehilím*) Una conversación entre un católico y un judío / Hernán Cardona Ramírez, SDB y Memo Ánjel -- Medellín: UPB y Pontificia Universidad Javeriana, 2017.
106 páginas : 14 x 23 cm. –
ISBN: 978-958-764-416-6

1. Biblia. A.T. Salmos – Crítica e interpretación – 2. Exégesis bíblica – I. Ánjel, Memo, autor – II. Título

CO-MdUPB / spa / RDA
SCDD 21 / Cutter-Sanborn

Contenido

Presentación

Los Salmos (en hebreo *Tehilím*) son un diálogo continuado, una presencia del otro y lo otro que configuran el mundo y lo que el hombre puede hacer en él. Porque el hombre es en diálogo, en Yo-Tú, como bien dice Martin Buber, anotando que ese Yo-Tú son las palabras primordiales, pues sin ellas no existiría nada. Somos el uno frente al otro, delante de la alteridad, siempre en confrontación. Y, en este confrontarse, crecemos y nos hacemos a partir de unos fundamentos.

Emmanuel Lévinas, en su filosofía, plantea la ética de la alteridad, esa ética donde el rostro del otro, las palabras del otro, se comprometen con lo que hemos hecho al otro. Así, la respuesta depende de la calidad de mi pregunta, de la acción que acometo y del encuentro que propicio.

Este libro que ahora presentamos es el resultado de un encuentro entre un presbítero católico y un judío sefardí. Y, en ese encuentro, donde la amistad hizo posible el diálogo, enfrentamos el libro de los Salmos bajo la premisa de que en él está el ser humano en todas sus situaciones: la alegría, la tristeza, la compañía, el miedo, la soledad, lo comunitario, la fundamentación necesaria y los caminos que se construyen o se destruyen según se usen los fundamentos que nos hacen humanos.

Y como el libro es fruto de un encuentro, entonces es un diálogo. Habla el católico y habla el judío, pero no con intenciones de imponer un criterio sino de mejorar ese criterio. Los rabinos han dicho: "de dos verdades la mejor es la tercera". Y este proceso es la corriente refrescante del libro, que, mediando con el respeto, se han buscado las mejores respuestas a las inquietudes generadas por el argumento. Inquietudes que fueron de un punto al otro del libro base, los Salmos, según aparecieran las preguntas, las puestas de acuerdo y las entradas al misterio. Porque este no es un libro de investigación sino de divulgación, una conversación entre dos que, sin darse aires de superioridad, van narrando lo que saben de los Salmos, lo que los Salmos han hecho en ellos y lo que los Salmos son en la medida en que nos confrontamos.

El libro, entonces, es una conversación amigable, un encuentro en el que el *quid* es mejorarse como seres humanos mientras el lenguaje fluye. Es un hombre que confronta al otro desde el punto de vista de mejorar y asombrarse, de descubrir lo que el otro sabe bien para respetar ese saber y construir sobre él.

Que un católico y un judío, profesores universitarios los dos, conversen sobre lo que les es propio y encuentren puntos de unión o elementos que el uno no sabía del saber del otro, fue entrar en la mecánica de los Salmos: un cuestionamiento, una posición, una pregunta, una respuesta. Y lo más importante, un ejercicio alto de tolerancia, entendiendo por tolerancia conocer las razones del otro y verlas de la mejor manera.

Escribir en diálogo, como en los viejos tiempos, construye un nosotros (un *anajnu*), e invita a otros a sumarse al diálogo, a este espacio donde no hay un yo sino un yo-tú, un sentido de comunidad y de humanidad, un ser en relación con otro y un aprender con lo que el otro dice. Y donde los extremos desaparecen porque hay acercamiento, más luz y un sentido de la libertad como debe ser: *admirar en el otro lo que produce mejoras en mí.* Y aprender del otro siempre. Somos aprendiendo y, en ese aprendizaje de la experiencia propia y del otro, los fundamentos tienen su razón de ser la vida y en la vida.

Introducción

¡Salmos, mis queridos salmos, pan cotidiano de mi esperanza, voz de mi servicio y de mi amor de Dios, alcancen en mis labios su plenitud! Queridos salmos, ustedes no envejecen, son la oración que no se desgasta. [...] Si ocupan este lugar en mi vida, es porque la expresan ante Dios. [...] Acepten que los resuma en dos palabras, de las cuales la segunda solo se puede pronunciar en verdad cuando se ha dicho la primera: Amén; ¡Alleluia![1]

Numerosos elogios como este han mojado tinta a lo largo de la historia para evidenciar la riqueza, la profundidad y la actualidad del libro de los Salmos de Israel.

Con sus 19.531 palabras hebreas, el salterio es, por su extensión, el tercer libro de la Biblia hebrea, después de Jeremías y el libro del Génesis. Pero su presencia en la historia de la tradición de Israel, primero, y cristiana, después, es fundamental. Hay cerca de 60.000 citas que recrean los escritos de Agustín de Hipona, 20.000 pertenecen a las escrituras hebreas y de esas 11.500 provienen de los Salmos, el libro sagrado más citado por él después de los Evangelios.[2] Pero prima no solo el dato cuantitativo. Agustín, Padre de la Iglesia, en su obra *Enarrationes in Psalmos* exclama: "salterio mío, gozo mío!" (*Psalterium meum, gaudium meum!*)

1 Yves Congar, *Llamados a la vida* (Barcelona: Herder, 1988), 32-33.

2 Nos sirven de apoyo para esta introducción las presentaciones iniciales a las distintas obras sobre los Salmos de Gianfranco Ravasi, según vienen citados en la bibliografía final.

(PL 37, 1775), y da voz de forma ideal a una apasionada adhesión coral renovada por siglos en la cristiandad.

La propuesta siempre actual de acercamiento a los Salmos de Israel no se agota en una sintonía sentimental o emotiva, en la cual el eco de nuestra invocación queda confinada al fuero interno de nuestro yo. La genuina oración con los Salmos, es de hecho, un don, una gracia de Dios: *surge de un diálogo abierto por Dios, como cuando el niño aprende a hablar cuando el padre le habla*, del mismo modo aprendemos a hablar a Dios, porque Dios nos ha hablado y nos habla. Con esta luz, no debe asombrarnos que en la Biblia, Palabra de Dios por excelencia, hallemos un libro de oración (los Salmos).

El salterio se considera un campo fecundo para los análisis literarios, posee varios géneros de la literatura, tiene estructuras poéticas en ocasiones exquisitas y complejas, pero a la vez fascinantes cuando despliegan imágenes que hacen del salterio un "jardín de símbolos", para usar una expresión del escritor Thomas S. Eliot. Imposible ignorar las reinterpretaciones, que, como sucede en los cantos reales, pueden transferir ciertas composiciones de los Salmos al horizonte mesiánico, como hacen en la Biblia de los Setenta dentro del salterio y como sucede en la liturgia y en la teología cristiana a través de la perspectiva cristológica. No en vano, dentro de los Salmos y de la tradición de Israel, se hace una atribución simbólica y ficticia a David, como "El cantor del Espíritu Santo… el máximo cantor del Sumo Jefe", como lo define Dante Alighieri (*Paradiso* 20, 38; 25, 72).

Creación, ley, historia de la salvación, mesías, Sión, asamblea, vida, sufrimiento, culpa, venganza… representan un decálogo presente de manera general en los Salmos, y estos argumentos bíblicos se proyectan hacia la última meta, hacia la plenitud. El objeto de la oración en los Salmos es la vida en comunión con el Dios de la Revelación, la victoria final de Dios en el mundo y la instauración del reinado del Mesías.

El libro quizá más importante de los denominados "Escritos" en la Biblia hebrea es el texto de los Salmos, porque, entre otros motivos, es "el cancionero antiguo de Israel", sin que hoy sepamos con certeza por qué están presentados de esa manera y cuya única indicación sea aquella división en cinco libros (1-41; 42-72; 73-89; 90-106; 107-150), inspirada quizá en los cinco libros del Pentateuco. Pero lo más importante, tal vez, es hallar en el salterio una colección de oraciones para toda circunstancia y situación humana. Todos los sentimientos están presentes allí, desde la alegría y la gratitud hasta la rebeldía y la desesperación, marcada, en ocasiones, por deseos internos de odio y de venganza (Salmo 137 (136), 8-9).

El orante de Israel, sea una persona particular en nombre de un grupo, sea la asamblea litúrgica, pone delante de El Señor todos sus afanes, no reprime ningún sentimiento porque puede resultar enfermizo; por ese motivo, incluso, las partes más oscuras de la vida pueden transformarse en oración. E Israel descubrió en los poemas una manera privilegiada de expresar sus sentimientos más profundos.

La presente obra refleja muchos de los rasgos recién mencionados; el escrito es el resultado de un diálogo a dos voces entre un judío y un católico, pero, como lo podrá comprobar el lector, la mayoría de las veces es una sola voz, un solo canto, aunque tal vez en un tono diferente, pero siempre mirando el conjunto de la partitura y apuntando a un mismo fin.

1. La puerta de entrada en el salterio

Salmo 1: Bienaventurado quien elige a El Señor

Padre Hernán:

He aquí el primero de los salmos (Salmo 1), él nos da la clave de lectura de todos los demás, porque es el salmo elegido para introducirnos en la oración de Israel. Es muy corto, así como debe ser una introducción, pero cada detalle es fundamental. La primera palabra del salmo y, por tanto, del salterio es *bienaventurado*, feliz, dichoso, agraciado… es todo un programa. En hebreo, significa estar en el lugar apropiado, de la manera apropiada y con la persona apropiada. Para el salmista, El Señor es el fundamento de esa alegría y de nuestra felicidad; el salmista, para iniciar, expresa en oración la esencia: ser feliz en Dios.

Para comprender el sentido de la palabra *bienaventurado* en la Biblia, el salmista nos hace pensar en la expresión *felicitaciones*, la cual usamos unos a otros en las grandes fiestas o celebraciones: cuando nos comparten una noticia, cuando nace un bebé, se celebra un matrimonio, una ordenación, una profesión religiosa… quienes nos rodean, familiares, amigos y conocidos nos dicen o nosotros les decimos: “felicitaciones”.

Bienaventurado, según la etimología del vocablo, se relaciona con la alegría, con la felicidad, y la palabra *felicidad* proviene del vocablo *feliz*, es decir, *un bienaventurado se regocija con quien es feliz*. Es de entrada una constante en muchos textos de la Biblia (“Bienaventurado eres”), incluso algunas veces nos sumerge en la contemplación, porque el espectáculo de la alegría es evidente, radiante, nos conmueve siempre. Al mismo tiempo, es un deseo vivo y nos estimula, es una invitación para vivir cada día en medio del entusiasmo y hacer todo nuevo. Elegimos "estar contentos, seguir siendo bienaventurados, pues el mundo tiene necesidad del testimonio de su amor y de su felicidad".

La palabra bíblica *bienaventurado* abarca dos dimensiones interesantes: por un lado, es una invitación a caminar: "bienaventurado porque estás caminando", es decir, porque vas en un proceso, porque estás en marcha. Se trata de asumir la historia como una larga caminata, así como se presenta, porque muchas situaciones no dependen de mí; por este motivo, el camino exige una elección, decisiones cada día desde un corazón lleno del Señor.

La elección se halla en las primeras palabras del Salmo 1: "Bienaventurado quien no siguió el camino de los pecadores... no se sentó en la reunión de los cínicos. El Señor conoce el camino de los justos, pero el camino de los malvados fracasa". En hebreo, al contrario de muchas traducciones españolas, los primeros verbos del salmo están en pasado, porque quien se adentra en la oración de Israel ya hizo una elección.

En segundo lugar, aquí aparece el tema de "los dos caminos": el camino de los bondadosos y el camino de quienes rechazan a El Señor en su vida. Nos toca elegir. El argumento nos remite a un cruce de caminos, cuando salimos a una gran avenida: *debemos tomar a la derecha o a la izquierda*. Es importante elegir bien, y esa elección queda al descubierto en las decisiones de cada día. ¿Nos parecemos más a la acciones de El Señor o al camino de los malvados?

La Revelación bíblica tiene un solo objetivo: mostrar a la humanidad el camino del bien, querido por El Señor, Padre para todos los seres humanos. Y, para ello, El Señor nos regala cada día múltiples señales: Dt 30,15, 19; Dt 6, 2-3 (se sugiere leer estos textos). Debemos escuchar; elegir entre el bien y el mal, entre la vida y la muerte, y la elección se ve en nuestras decisiones, en las actitudes de servicio solidario. Las acciones identifican al "bienaventurado".

En este contexto, las palabras *bienaventurado* o *malaventurado* son como las luces de señalización en la gran avenida de la vida. En ese entorno, Jeremías dice: "Maldito el ser humano que confía solo en el hombre" (Jr 17, 5; Is 10, 1-2). Los profetas no pronuncian un juicio de condenación contra las personas, más bien previenen del peligro de quedar con sus decisiones al borde del precipicio. Al contrario, las expresiones "bendito el hombre que confía en el Señor" (Jr 17, 7-8) o "bienaventurado el hombre que no siguió el consejo de malvados" (Sal 1, 1, 3) son textos similares. Y a la vez son palabras de estímulo, pues evidencian una decisión: *ustedes van por el buen camino.*

El asunto de los dos caminos pone al descubierto una dimensión muy importante de las personas: *somos libres, podemos decidir.* Pero si queremos ser bienaventurados, debemos evitar algunos caminos. El deseo inscrito en el corazón de las personas, el blanco de sus acciones, *es la búsqueda del bien*; por eso, se debe elegir el camino correcto. La presencia del Señor en el corazón de todas las personas (*Gaudium et spes* 16) guía nuestra libertad, si así se lo permitimos, por el camino del bien. Por esta razón, debemos amar las decisiones del corazón, las cuales para Israel quedaban inscritas en la Torá (*manual de instrucciones y de comportamientos para vivir bien*). El pueblo de la Alianza sabe que la Torá es un don de El Señor, quiere nuestro bien y nos indica el camino correcto: una vida de comunidad, como hermanos y hermanas, solidarios y servidores unos de otros.

Bienaventurado quien se complace en la Torá de El Señor y musita su Torá noche y día (es decir, las veinticuatro horas). Cuando el Salmo 1 habla de buenos y malvados, no califica a las personas individuales, ni las juzga; él se fija en sus acciones, en sus actos, en su conducta… las decisiones muestran si estamos en el camino correcto o en el camino de quienes optan por distanciarse del Señor y, por ese motivo, son insolidarios con sus semejantes.

Muchas de las decisiones nos van colocando a ratos en ambos caminos; por eso, necesitamos la oración para adentrarnos en un proceso de conversión y de discernimiento, donde el gran protagonista es El Señor. Con frecuencia, estamos en las dos categorías, hacemos camino en la misma avenida, pero en los dos sentidos, a veces hacia el norte, a veces hacia el sur. Por tal motivo, debemos "escuchar" a diario la Palabra y elegir "hoy" el camino de la persona feliz: "Bienaventurado quien se complace en la Torá de El Señor".

El salmo insiste en la importancia de la buena elección, pues opone al tiempo, dentro de una simetría completa, los dos procederes, *el de los justos y el de los pecadores.* Pero quien elige la dirección correcta es llamado "justo", es decir, "bienaventurado", y a quienes eligen bien se les dedica la mayor parte del Salmo 1. En cambio, a los otros, a quienes eligen de manera equivocada, se les llama "los malvados". Esta desproporción en el trato habla por sí sola: una es la suerte de los "bienaventurados"; la suerte de los otros es como la paja que arrebata el viento.

La bienaventuranza

Memo:

La buenaventura, en español, significa lo bien propiciado, lo que se da y se agradece. Y, al mismo tiempo, la búsqueda de una esperanza buena. Y, en este dar y agradecer, estar vivo es conveniente. Ya, en hebreo, la palabra más usada es *mazal tov*, que tengas una buena estrella, pero no se trata de suerte ni de búsqueda de protección, sino de obtener lugares[1] apropiados, momentos apropiados y personas apropiadas. Esto implica estar donde se es, en el momento en que se es y hablar con quien es, lo cual daría todas las posibilidades de acierto y, como resultado, de estar bien en el mundo, con uno y con los demás.

El Salmo 1 (*ejad*) está en relación con la unidad, con lo que nos contiene y guía y, si desconocemos el contenido y perdemos la guía, nos destruimos, pues la destrucción es fragmentarse y dispersarse sin un recipiente o contenedor que nos acoja. Así ese uno, básico (un yo-tú, como diría Martín Buber), es la totalidad que se toma como ánfora que me contiene, Por eso, con relación al salmo, la palabra uno (*ejad*), que comienza por *álef*, sigue con *jet* y termina en *dálet*, significa el silencio donde *D's* habita, los fundamentos necesarios y al fin la puerta que se abre al mundo, que es otro uno a los sentidos, la inteligencia, el entendimiento y la sabiduría. Un uno creado para ser entendido y habitado respecto del agradecimiento, que es lo entendido en beneficio de la comunidad.[2]

---

1 Con álef se escribe Él; con *jet jéder*, escuela básica; y con *dálet délet*, puerta.

2 En el judaísmo, el judío solo no existe. Existe la *kehilá*, la *Knsset*, la comunidad, en la que el uno hace posible al otro.

El Salmo 1, el inicio, propone dos caminos, pero no para tomar alguno al azar, sino para escoger el debido teniendo en cuenta cuál no debe ser. Por la ley de los opuestos, sé que existe el bien porque hay mal. Y sé que puedo florecer cuando hay raíces, porque sé que no se florece donde no las hay. Por esta razón, se habla del hombre dichoso y del hombre impío que peca; el primero opuesto al segundo. El hombre dichoso, el que habita la *shimjá* (la alegría debida), es árbol y la fuente que lo alimenta mana cerca, en tanto que el sin piedad y violador de la naturaleza es piedra seca, que a cuanto más sol y golpes del viento, más resquebrajaduras.

El hombre dichoso sigue las instrucciones para vivir (la Torá) que le ha dado El Señor. Las sigue, porque son buenas y no causan dolor, porque disciplinan y, en este disciplinarse, se aleja de la condición animal, que es la del miedo y el caos. El hombre dichoso sigue un orden, un método que le permite no contradecirse con él ni con el contexto, que le da identidad y posibilidad clara de un lugar en la tierra y bajo los cielos. No así el impío que entra en desorden (*rompe el método*) y, en la confusión que se crea, no llega a ninguna parte y todo lo que habita lo confunde.

La invitación de este salmo iniciador (diría del *salmo que potencia*) es la de no temer emprender hacer algo si el fin de ese algo es bueno, siendo lo bueno esto que me engrandece como humano, pero no respecto del reconocimiento sino de más mundo entendido y, en ese entendimiento, más alegría. Porque mientras vamos se van realizando los encuentros, se responde a las preguntas necesarias y al llegar lo iniciado está hecho para el agradecimiento y la sabiduría del hombre que, en este trasegar, se ha mantenido en orden. O, en otras palabras, en *D's*, que es la tranquilidad, la carencia de confusión y el estar bien en la medida en que los seres de la tierra y el cielo están bien, es decir, admitidos como elementos benefactores.

El Salmo 1 es una acogida, la idea primordial: alejándonos del mal, lo turbio y lo que nos genera miedo, es el fin bueno que buscamos. Y en ese fin (*la razón del vivir*) damos frutos, no se nos marchitan las hojas y llegamos a ser justos, sin perdernos de nada. Si somos justos es porque sabemos qué es la injusticia, si no tomamos los consejos de los impíos sabemos qué es el error, si nos mantenemos firmes es porque vemos caer a nuestro lado y si somos lo que debemos ser en la ley (*el orden debido, el agradecimiento habido*) es porque ya entendemos que los que no son en la ley se desordenan y no logran la dicha del agradecimiento.

El Salmo 1 invita y acoge, plantea los extremos y da las razones para que vivir sea bueno. Es una totalidad, un uno, a la que nos integramos para vivir o de la que nos zafamos para vagar perdidos. El hombre es el camino que se construye: si el camino es bueno, el final es bueno. Si es malo, no hay camino sino miedo. Esta es la esencia de este salmo iniciador; el hombre de bien es el iniciado.

La Torá: instrucciones para vivir bien

Padre Hernán:

En el Salmo 1, el verso 2 dice: "La tarea del bienaventurado consiste en susurrar la Torá noche y día". El verbo hebreo es *hagah* con una amplia posibilidad de traducciones: meditar, reflexionar, musitar, susurrar, gemir, hablar… En la Biblia hebrea son comunes las expresiones de este verbo en torno a la meditación. Y la oración, rasgo típico de los salmos, requiere esa capacidad de meditar, discernir, reflexionar. Y esta acción decidida de la oración, a propósito de los salmos y del encuentro con Dios, sugiere la actitud del silencio.

Uno de los vocablos hebreos para el silencio es *dumiyyah*, *dumáh*, el cual se amplía a la calma y al reposo, y es un sustantivo femenino, con lo cual, no solo se recuerda a El Señor cuando habita y crea, como un ánfora que nos contiene, sino que nos lanza incluso al seno materno, al origen. Como una paradoja, este silencio es una voz. Es posible hallar dicha palabra en algunos salmos 39 (38), 2-3; 107 (106), 29; 22(21), 2-3; 62, 2, 6.

El Salmo 22 (21) comienza con una frase que ha hecho correr mucha tinta y variadas notas musicales: "El Señor mío, El Señor mío, ¿por qué me has abandonado? Estás ajeno a mis palabras. El Señor mío te llamo noche y día, no me respondes, no hallo reposo". Quizá, para entender la situación, se debe leer todo el salmo, sus 32 versículos. Y rara vez leemos el final. Esa preciosa acción de gracias: "¡Tú me has respondido! Y proclamo tu nombre ante mis hermanos, te alabo en plena asamblea" (v. 26). Quien gritaba: "El Señor mío, el Señor mío, ¿por qué me has abandonado?", en El primer versículo, da gracias más adelante por la salvación recibida. No murió, está vivo y agradece a El Señor su compañía.

El salmo fue compuesto al regreso del exilio en Babilonia y ese retorno se compara con un condenado a muerte que escapó del suplicio. Para muchos israelitas, el exilio era la condena a muerte del pueblo; un poco más, y habría sido borrado del mapa. El condenado sufrió los desprecios, la humillación, el abandono en manos de los verdugos…, pero, por bondad de quien lo cuida, sobrevivió, no murió. Israel regresó del exilio y, desde entonces, se deja llevar por la alegría y lo cuenta a todos, grita ahora más fuerte que cuando gritó su angustia.

Desde el seno de su angustia, Israel jamás dejó de pedir ayuda y no dudó ni un instante que El Señor lo escucharía. Su gran grito: "El Señor mío, El Señor mío, ¿por qué me has abandonado?", es un grito de angustia frente al silencio de El Señor, pero no es un grito de desespero ni mucho menos un grito de duda. Al contrario, es la oración de quien sufre y se atreve a gritar su sufrimiento. Se sintió abandonado en las manos de sus enemigos… Pero continuó en la oración, una oración a toda prueba porque no perdió su esperanza.

El salmo describe el horror del exilio, la angustia del pueblo de Israel y de Jerusalén asediada por Nabucodonosor, el sentimiento de impotencia ante la prueba. Y el orante recita: "¿Por qué, a causa de qué me has abandonado al odio de mis enemigos?". Pero el salmo dice también la acción de gracias de quien reconoce en El Señor su salvación, a Él le debe la liberación. "Tú me has respondido. Y yo proclamo tu nombre delante de mis hermanos… Te alabo en plena asamblea. Ustedes que le temen, alaben a El Señor".

Y hacia el final el salmo reconoce los frutos del silencio:

> Los pobres comerán, serán saciados; los que lo buscan alabarán a El Señor. ¡A todos ustedes la vida y la alegría! La tierra se recordará y volverá a El Señor, cada familia de las naciones se postrará delante de Él… Yo vivo por Él, mi descendencia le servirá. Anunciará a El Señor a las generaciones futuras. Se proclamará su justicia para con el pueblo que nacerá: he ahí su obra. (vv. 27, 30-32)

Sin duda, estamos delante de un silencio creador, sutil pero eficaz.

El Señor ante el silencio

Memo:

El silencio, *Dumáh*, respecto de la discusión cabalística de Abraham Abulafia, significa una puerta que lleva a otra puerta. O sea, se ha entrado y se ha salido. Y de la palabra, que acoge, cuando salgo de ella, se pasa al silencio, allí donde no existen las palabras de acogida sino aquellas que nos confrontan, que son nuestras palabras sin que haya otras que nos respondan. El silencio, visto así y para el ser humano, es la pérdida del avanzar, el inventario de lo habido y ya imposible de compartir, pues las palabras se han silenciado y solo habitan el yo, que es un estado de soledad.

El Salmo 22, que también podría significar el final de las letras (el silencio), ya que el alefato se compone de 22 (finaliza en *tav* y se reinicia en la letra álef que es silenciosa), habla de un hombre que grita, que está asustado, pues se ha salido del pueblo (la comunidad) y ya no tiene las palabras de otros, esas que lo componen como grupo y lo cohesionan con los demás. Y, en ese miedo (*en el silencio está solo*), le pregunta a *D's* por qué lo ha abandonado. Pero, en realidad, *D's* no lo ha dejado a un lado sino que es el hombre quien se ha separado de los suyos, de la tradición de sus padres, del ritual en común, y ahora, en el silencio, se ve rodeado de bestias que quieren devorarlo. Quien aquí ora tiene miedo.

En el judaísmo, el judío solo no existe: existen los judíos. Y este salmo establece al judío que se ha silenciado, que no habla con los otros sino consigo mismo, que ya no discute sino que busca respuestas que no logra en sí. Y no las logra porque una respuesta exige verme en la cara del otro, en el hacer de los demás y en la seguridad de pertenecer a un grupo.

En el silencio (*a veces es beneficioso para descubrir lo que nos falta saber*), las palabras carecen de sonido, son imágenes no más, están muertas. Son palabras imaginadas y no sonoras; no invocantes sino angustiadas. Por esto, el hombre reclama y a la vez reconoce que su reclamo es en vano, pues ha dejado a los suyos y se ha silenciado. Y en ese silencio se desmorona.

En el judaísmo, *D's* no es un asunto de uno sino de varios. Es decir, existe entre dos o más, en comunidad, pues *D's* es una realidad y lo que es real necesita de otro para que se discuta y se entienda. Yo solo alucino, mientras que en grupo caigo en cuenta, me aportan y aporto. Y existo entre los otros. Así, las palabras, como los pájaros, van de sur a norte, tienen nidos y llenan el aire de colores, y ponen de manifiesto la Creación. Hablar es el don que *D's* le da al hombre, pero no para que las palabras sean suyas sino de todos. Por esta razón, existe el *minián* (*diez hombres adultos necesarios para orar en la sinagoga*), la *kehilá* (el grupo) y la debida pronunciación, que es la que hace que la cosa exista. "Si hay palabra hay cosa" (*Davar*), decía filón de Alejandría. Pero la palabra no es unívoca, es dialógica. Para que exista debe haber otro que la oiga.

Este salmo del silencio y del abandono tiene una esencia: *las palabras con el otro*. Si hay otro no hay miedo. Si ese otro desaparece, las palabras se vienen contra mí. Y se vienen porque las palabras crean para la comunidad y dejan de crear cuando me apropio de ellas. Es que han perdido su capacidad de relación.

2. Escuchar la Torá

La palabra dialógica

Padre Hernán:

Hola, Memo, hago eco de una de tantas frases interesantes de su última entrega: "Pero la palabra no es unívoca, es dialógica. Para que exista debe haber otro que la oiga". En los Salmos, esta capacidad de escuchar nace de la confianza en El Señor y de la obediencia a su Torá, como asoma en el Salmo 119 (118). Aquí radica la felicidad del creyente, seguir la Torá de El Señor, escucharla, guardarla: "Felices los hombres íntegros en sus caminos que marchan siguiendo la Torá de El Señor". El creyente conoce la dulzura de vivir en la fidelidad a los mandatos de El Señor. Blas Pascal comenzaba su jornada orando con una estrofa de este salmo, así confesaba cada día su amor a El Señor.

El Salmo 119 (118) es el más largo del salterio; tiene 176 versículos, es decir, 22 estrofas de 8 versículos: 22 y 8 son cifras especiales. El alefato hebreo tiene 22 letras y cada estrofa tiene 8 versos, con 8 sinónimos de Torá. El número 7 indica plenitud, el número 8 es 7 + 1, es decir, la perfección suma. El número 8, en la Biblia, es la cifra de la nueva creación; la primera creación la hizo el Señor en 7 días, y el día 8 será aquel de la creación renovada, "los cielos nuevos y la tierra nueva", según una expresión bíblica. Esta podrá surgir cuando la humanidad viva según la Torá de El Señor, o sea, en el amor.

Los versos de cada estrofa comienzan con la misma letra y las estrofas siguen el orden del alefato hebreo de la primera a la última letra: aquí no se trata de una proeza literaria. Estamos delante de una profesión de fe. Es decir, todo el vocabulario humano está al servicio de un amor que supera todo otro amor. Y quizá se trata no tanto del amor a la Torá de El Señor, sino, mucho mejor, del amor a El Señor que nos regala un manual de instrucciones para vivir mejor.

Aquí, los mandatos no son vistos como un dominio de El Señor sobre nosotros sino como consejos, los únicos válidos para llevar una vida feliz. "Felices los hombres íntegros en sus caminos que marchan según la Ley de El Señor". Cuando el hombre bíblico dice esta frase, la piensa con todo el corazón. No es magia; las personas fieles a la Torá encuentran toda suerte de desgracias en el transcurso de su vida, pero, en estos casos trágicos, el creyente sabe que solo el camino de la confianza en El Señor le da la paz a su corazón.

La Torá es un regalo de El Señor a los suyos, los pone en guardia contra las falsas rutas; es la expresión de la solicitud del Padre con sus hijos. El Señor no se contentó con liberar a su pueblo de la servidumbre de Egipto; dejado a sí mismo, Israel arriesgaba recaer en otras esclavitudes, quizá, peores. Al darle su Torá, El Señor le daba la forma de usar la libertad. La Torá es, entonces, la expresión del amor de El Señor hacia su pueblo. Luego de los tres primeros versículos, que son afirmaciones acerca de la felicidad del hombre fiel a la Torá, los otros 173 versículos del Salmo 119 (118) se refieren a El Señor en un estilo a veces contemplativo y otras suplicante. "Abre mis ojos para que contemple las maravillas de tu Torá". Y la letanía sigue repitiendo sin parar las mismas fórmulas. Solo los enamorados se atreven a repetirse sin hacerse cansones.

La Torá para vivir con dignidad

Memo:

La palabra Torá (instrucciones para vivir), se escribe con la letra *tav*, la última del alefato, porque vivir es un fin y cada día la vida comienza y, por ello, "escuchar" importa más que decir, y así lo dice el salmo, este oír no es solo escuchar lo nuevo sino regresar a la palabra dicha, a la norma que me dice que no debo salirme del camino, pues el camino ya está hecho y me lleva del nacer al morir, del conocer al entender y del estar al ser. Por esta razón, para Maimónides, en sus *Trece principios de fe*, la Torá no será alterada, pues en ella se contiene cuanto nos permite vivir con dignidad, viendo lo hecho (*la creación en siete días, incluido el descanso*) y lo por tener en cuenta para que la vida sea una oportunidad.

Los mandamientos están en futuro porque cumplirlos es no estar perdidos en el camino. Y no solo son mandamientos de *D's* sino una moral (*costumbre buena que no causa dolor*) para que estar vivo sea bueno. Así, cumplir con los mandamientos es vivir y salirse de ellos es morir, tener miedo y entrar en estado de confusión. Así que el salmo no se equivoca al pedir que oigamos lo que ya está escrito, pues esto que oímos (*que es la voz de la Creación y el Creador*) es la renovación de la vida a cada día, el faro que ilumina nuestra navegación y la brújula que nos indica que estamos llegando a un buen puerto.

La Torá, como bien usted dice, pone al hombre en guardia contra las falsas rutas, esas que nos sitúan en condición de caos y nos desvían a lugares donde el miedo siempre está presente. Y, además, la Torá es lo que hace al hombre inteligente, pues le hace entender dónde está el error. En *Bereshit* (Génesis), se cuenta la historia de Caín, quien, al matar a su hermano Abel, comete tres errores: matar, mentir y perder la confianza. Al matar, anula al otro como posibilidad de reconocimiento, al mentir no acepta la realidad y al perder la confianza del creador vaga desesperado por la tierra. Y podríamos continuar con muchos hechos narrados en la Torá, que señalan el error para que el hombre inteligente no lo cometa y pierda la vida, su sentido y condición, viviendo como un muerto. Porque a la vida se la recibe con la vida y no temiendo el día nuevo y la noche nueva.

No se equivoca el salmo al decirnos que cada mañana debemos oír lo que ya está escrito. Cuando se oye la voz del bien, y esta voz se repite en nosotros cada día, la vida es un agradecimiento. Y, en el agradecimiento somos, no importa dónde estemos ni en qué condición. Es decir, la condición no me marca, lo que me marca es el criterio (el juicio) con que asumamos la condición, que será de riqueza si entendemos lo más simple y chico y de pobreza y miedo si lo que tenemos o hacemos está signado por el error. O por el pecado, que es la forma más dolorosa de enfrentarnos con nosotros mismos.

Cuando se habla del temor de *D's*, es del temor que nosotros tenemos de nosotros mismos cuando cometemos un error. Porque del error siempre somos conscientes y no podemos escapar de él: es una marca, a veces abierta, otras con una cicatriz encima, pero siempre evidente. Así que *D's* no nos castiga, somos nosotros quienes nos castigamos, pues, sabiendo cuál era el camino, nos hemos desviado y percibimos que estamos perdidos, que no escuchamos lo que estaba escrito, que no lo repetimos para que eso que nos pasa no nos pasara.

D's no es cruel, es siempre un dador de palabras y señales para no cometer el error. Palabras claras, perennes, que alegran el corazón si se cumplen y lo endurecen y confunden si se evaden. Palabras que nos habitan y nos aman, pero que al no ser cumplidas nos destruyen y exilian de *D's*, del camino y la dignidad. Palabras que si se cumplen nos amparan y si las violamos nos castigan, y no por decreto de *D's* sino de nosotros mismos.

Oramos para reconocer el camino, el sendero de las palabras buenas dichas. Y, en la oración que nos indica qué hacer, la vida nos dignifica y nos hace libres, pues la libertad es mejorar lo bueno que hemos hecho y la esclavitud es admitir la destrucción. Vivimos en un mundo que se burla del bien y que cataloga como inútil lo que nos hace humanos. Y el salmo previene contra esto: si antes no admitimos la Torá, si no somos en ella, lo que venga se convertirá en diablos que nos muerden los tobillos y las entrañas, como bien describe Isaac Bashevis Singer en sus relatos y novelas.

Así, este salmo extenso es un campo para que nos mantengamos florecidos y siempre dando fruto. Y en el amor, que no es un asunto de deseo sino de saber que la vida es buena conmigo porque yo soy bueno con ella. Y cumplir los mandamientos es amar a la vida para sentirnos amados por ella. Y la vida es el creador, que la ha hecho posible haciéndonos posibles a nosotros.

La tierra está llena del amor de Dios

Padre Hernán:

En unos párrafos de su comentario, me llama la atención la frase: "Las palabras, que nos aman, nos habitan… nos amparan… son palabras buenas". De inmediato, vinieron a la memoria algunas frases de los salmos, por ejemplo, en el Salmo 33 (32): ""El Señor ha hecho los cielos por su palabra, el universo por el soplo de su boca. Habló y lo que dijo existió; mandó y lo que dijo sucedió" (v. 6). La palabra de El Señor es recta y su acción es confiable. "Él ama el derecho y la justicia; la tierra está llena de su amor" (vv. 4-5). El amor de El Señor hacia la humanidad es tan antiguo como el mundo y, en ese contexto, se habla aquí de la Creación por la Palabra, la creación del mundo como una obra de amor.

Pero el Señor no se contentó con crear un lindo día el cosmos y la humanidad para luego abandonarlos a su suerte; desde la aurora del mundo, Él vela cada instante sobre nosotros: "El Señor vela sobre aquellos que le temen, que ponen su esperanza en su amor" (v. 18). Esta certeza de la fe se asienta sobre una esperanza: la de la vigilancia de El Señor a lo largo de los siglos. Desde Abraham, Isaac y Jacob, desde Moisés y la zarza ardiente y la salida de Egipto, desde la entrada a la tierra prometida… (*y podríamos tomar uno por uno los eventos de la historia del pueblo elegido*), en cada etapa supo experimentar que el Señor vela y que la tierra está llena de su amor.

"La tierra está llena de su amor". Esta frase es ya una profesión de fe. Fue necesario un largo camino de revelación para que la humanidad descubriera esta realidad fundamental: *El Señor es Amor y la tierra (la Creación) está llena de su amor*. Es la característica de los creyentes, atraviesan la existencia y sus realidades de felicidad o quizá de prueba, pero, pase lo que pase, la tierra está llena del amor de El Señor. Ello no quiere decir que el amor reine por todas partes del mundo. Ni el amor universal ni la felicidad se encuentran todavía. Por ahora hay una certeza, El Señor mira el universo y la humanidad con amor. Por lo demás, todavía no se ha cumplido, pero es la vocación de la Creación ser un lugar de amor, de derecho y de justicia.

Volvamos al versículo: "El Señor vela sobre aquellos que le temen, que ponen su esperanza en su amor" (v. 18). La frase nos pone delante de dos reflexiones, al menos: la primera, tenemos allí una definición del "temor", es decir, quienes temen a El Señor son de hecho quienes ponen su esperanza en su amor, confían en Él en cualquier circunstancia. La segunda, nos sorprende por la formulación: "El Señor vela sobre aquellos que le temen": quisiéramos preguntarnos: "¿Y los demás?". ¿"Los que no son creyentes?". ¿Acaso El Señor no vela sobre ellos? En verdad vela sobre todos sus hijos, pero solo quienes lo conocen saben y pueden decirlo por el momento.

Otra característica de este Salmo 33 (32) es la importancia que le da a la Torá. El amor del pueblo de Israel hacia la Ley nos sorprende a veces, pero es normal porque allí se ve la expresión de la vigilancia de El Señor por sus hijos: su Ley nos acompaña igual que un código de ruta protege de accidentes y de malos pasos. También es un regalo de El Señor. Y no es por casualidad que el salmo tiene 22 versículos (*las 22 letras del alefato hebreo*) como homenaje a la Palabra de El Señor, el todo de nuestra vida, desde la primera hasta la última letra.

Para los creyentes, la única actitud válida para responder a El Señor es obedecer a los mandatos, porque están guiados por el amor. Es el sentido de la profesión de fe judía (Dt 6, 4): "Amarás a El Señor, tu Señor, con todo tu corazón, con todo tu ser, con todas tus fuerzas". Es decir: "Lo amarás, confiarás en Él y (porque es inseparable), observarás sus mandatos, su palabra", que es el segundo sentido del término *palabra*. La frase: "La Palabra de El Señor es recta", es un homenaje a la Palabra creadora, como a la Ley dada por el Señor. La creación de la cual se maravilla Israel no es tanto de la tierra, sino del pueblo. En cada época de su historia, la palabra de El Señor llama a la libertad y le da fuerzas para conquistarla; una libertad de toda idolatría, libertad de toda esclavitud.

Justicia y misericordia en la Tierra

Memo:

Oseas, el profeta del amor, habla, en 2, 21-22, del desposorio entre el ser humano y la rectitud, palabra esta que a su vez contiene justicia, misericordia y compasión. Así, un hombre es recto cuando es justo y, por ello, admite la justicia como único camino viable para entender la misericordia (*la acogida gratificante*) y la compasión, esa mirada y acto que devuelve la solidez al otro. Y en la rectitud aparece el agradecimiento al mundo que nos fue dado, que es el único posible y, por tal motivo, lo contiene todo para que la vida exista en relación de amor (*ajabá, conocimiento a fondo de la alteridad*) con nosotros.

Este Salmo 33 (32) hace un resumen de los primeros versículos de *Bereshit* (Génesis) para demostrar que solo somos posibles en esta Creación, que somos su conclusión y, en consecuencia, somos fruto de lo anterior, del cielo y la tierra, de la ausencia del caos y el vacío, del saber que sobre las aguas se da el movimiento y del entender que se han separado las tinieblas de la luz y así el mundo se manifiesta con múltiples opciones y como lo más importante que nos ha sucedido, pues, debido a este *D's* dador, somos sus dignatarios y, en agradecimiento y como fruto de la inteligencia, no podemos más que sostener lo que nos fue dado para que existamos en la vida, que es la única oportunidad de agradecer que tenemos.

Y hablo de vida, porque la vida es la del hombre bueno que entra en buen contacto con las cosas. La vida, con maldad, mata al malo, dice el Salmo 34 (33); pero, en el Salmo 33 (32), el bien proporciona al bueno lo justo y en esta justicia se librará de todo cuanto le haga mal, obtendrá lo necesario para vivir y sabrá agradecer, siendo el agradecimiento el canto al estar vivo y viviendo en la magnificencia de saber que la vida se nos da, no como un simple espacio de tiempo en la Tierra, sino como el entendimiento que hace del alma una luz que ilumina el camino y una mano que construye sin dañar.

Somos, en el orden de la Creación, la conclusión que abre las puertas al camino. Y en esta Creación, en la que existe la palabra misericordia (*rajamim*, de *rajá*, "vientre materno" y "entrañas"), somos en relación, pero posteriores. Primero, fuimos concebidos (la palabra nos concibió[1]), luego contenidos y después paridos al mundo. Y en este salir, lo que vimos y nombramos, lo que entendimos y por entenderlo lo agradecimos; pues, en lugar de oscuridad, se nos dio la luz, es sujeto permanente de agradecimiento, siendo el agradecer la alegría, la acogida, esa palabra que aleluya, porque estar en el mundo es una admiración y un agradecimiento por hacer parte de eso que admiramos, no para ser admirados, sino para saber que lo demás nos contiene y, al contenernos, no podemos expresar más que *shimjá* (alegría). Somos en la Creación

[1] En *Bereshit*, *D'is* habla, y los hechos, las cosas y los seres se crean.

de *D's* con la posibilidad de ser en él si seguimos el camino que nos fue señalado. Y ser en *D's* es lograr el descanso de la tarea bien hecha, de la alteridad correspondida y la ausencia del mal.

Yo diría que el Salmo 33 (32) es un canto alegre, un reconocimiento de nosotros en el mundo, un agradecimiento que se nos vuelve memoria y, como en Abraham, cada agradecimiento es un altar, una sacralidad, una referencia para saber que reconociéndonos en la vida sabemos que estamos vivos y, al estar vivos, entendemos que el alma existe en el bien, que es el mayor regalo. Del mundo no hicimos nada, el mundo nos fue dado para hacer. Y el mundo será un bien si vamos bien por él. O será un mal, si desordenamos lo que fue creado con un orden inalterable, propicio a las mejores palabras y los mejores acontecimientos.

Una lectura del exilio en Babilonia

Padre: Hernán

Usted acaba de acercarse a un asunto bien complejo, pero no menos interesante: el mal, el dolor, el sufrimiento y su relación con el bien. Ahí queda una pregunta: ¿cómo leer el mal desde los Salmos? No tengo una respuesta, me atrevo a proponer algunas ideas muy sencillas.

El Salmo 137 (136), denominado por algunos "Junto a los canales de Babilonia", afronta el tema. Es un salmo corto de 9 versículos, pero con una hondura sin precedentes. Comienza en tiempo pasado, habla de una realidad que, según el salmista, ya no retornará. Después del regreso del exilio en Babilonia, los judíos celebraban cada año una jornada de duelo y penitencia, cuando recordaban la fecha o el aniversario de la toma de Jerusalén por Nabucodonosor, rey babilonio.

En el corazón de esta celebración penitencial, en el Templo de Jerusalén recién reconstruido, se hacía memoria de este periodo terrible, el dolor de los exiliados tocaba el corazón: "Junto a los ríos de Babilonia, nos sentábamos a llorar acordándonos de Sión… mientras nuestros opresores nos pedían cantar…". Todos los exiliados del mundo pueden reconocerse en esta página; es el recuerdo, en primer lugar, de no estar en la propia tierra, se hallan en un país extranjero, pero los nombres de la ciudad amada, Sión, Jerusalén (*repetidas veces*), vuelven en cada estrofa.

Esta tierra extranjera es hostil, y la burla y el mal se mezclan con la humillación, los invasores piden cantos de Sión para llenarse de alegría a costa del dolor de los oprimidos. Muchas veces, uno de los grandes placeres del opresor es gozarse en humillar a los vencidos, a los oprimidos. Las lágrimas de las víctimas se transforman en un espectáculo para la burla y el gozo de los verdugos.

Pero el asunto es más grave, pues los cantos de Sión, pedidos por los babilonios a los judíos, se encuentran en los salmos de *las subidas*, es decir, de las peregrinaciones desde lugares distantes hacia Jerusalén. Por tanto, son cantos que acompañan siempre la marcha ferviente de todo un pueblo hacia Jerusalén, la ciudad amada y su Templo. Entonar estos salmos solo para la diversión burlona de los opresores equivale a perjurar de su fe, porque a los enemigos de Israel poco o nada le dicen estos cantos, mientras para los creyentes en esos poemas van la vida, las ganas de existir, la acción de gracias, la esperanza… "¿Cómo cantar un cántico de El Señor en tierra extranjera? (Sal 137, 4).

Sión o Jerusalén es no solo la madre patria, es, ante todo, la ciudad santa, la ciudad de El Señor, es Él quien la eligió como su morada. David conquistó la ciudad de los Jebuseos, con la intención de instalar allí su capital; ciudad militar y política, tenía una altura estratégica, la colina de Sión. Allí se transportó el arca de la Alianza en el corazón de una solemne fiesta. Luego el profeta Gad, le dice a David, como voz de El Señor, que compre el campo de Arauna el Jebuseo, otra colina, un poco más al norte de Jerusalén, que será el lugar donde Salomón, según la tradición, levantará el Templo de Jerusalén.

Por tanto, la ciudad santa no puede ser destruida. Cuando los salmos, como el 137, mencionan a Sión y a Jerusalén, no hacen una simple referencia geográfica, sino que miran el conjunto de la ciudad en su relación con El Señor, porque Él la eligió y ha decidido habitar en ella, para estar siempre en medio de su pueblo: "A aquel a quien ni siquiera los cielos de los cielos pueden contener", como dice Salomón (1 Re 8, 27). Porque es la ciudad de El Señor, Jerusalén no puede caer en el olvido, un día u otro será levantada por El Señor de sus ruinas. El Señor en persona se comprometió a no olvidar nunca a su ciudad: "En este templo estarán siempre mis ojos y mi corazón" (1 Re 9, 3).

Y en los periodos difíciles, los profetas alimentaron esta esperanza:

> Sión decía: Me ha abandonado El Señor, El Señor me ha olvidado. ¿Acaso olvida una madre a su niño de pecho, y deja de querer al hijo de sus entrañas? Pues aunque ella se olvide, yo no te olvidaré. Fíjate: te llevo tatuada en la palma de mis manos; de continuo están tus murallas a mi vista. (Is 49, 14-16)

Las murallas, según Isaías, ya no existen, han sido derribadas.

El dinamismo del recuerdo

Quizá, por este motivo y otros más, las palabras *recuerdo* y *acordarse* se repiten con frecuencia en el salmo; es la fuerza para tener la certeza del regreso, además porque ese recuerdo remite a las promesas de El Señor y la memoria permite reconocer este día "del retorno". Es como ese grande amor, esa gran fe, capaz de dar la fuerza para remontar las peores pruebas. La decisión de superar la catástrofe obliga a mirar hacia el porvenir: "No se acuerden de los eventos pasados, no piensen en los sucesos antiguos, Miren, voy a hacer algo nuevo, ya está brotando. ¿No lo notan?" (Is 43, 18-19).

Las lágrimas de los judíos mezcladas con las aguas de los canales de Babilonia son también aquellas del remordimiento: *Que el Señor nos salve ante todo de nosotros mismos.* Porque el peor enemigo del ser humano es él mismo, sobre todo, cuando sigue falsas pistas. Este salmo se cantaba en el corazón de una celebración penitencial, porque las malas horas ya pasadas no son fruto del azar. Si los habitantes de Jerusalén conocen bien los horrores de la guerra, el exilio, la deportación, los trabajos forzados impuestos por el opresor… ellos saben que corresponden a decisiones anteriores equivocadas, a divisiones internas, a falsas pretensiones políticas y sociales… pero El Señor les regala todavía la vida para volver a él y, con él, se inicia un nuevo porvenir. El Señor mismo traerá a su pueblo porque ya lo perdonó.

El destino futuro de Jerusalén será superior a su pasado, como lo dice Baruc:

> Jerusalén, deja tu vestido de luto y de miseria, ponte el vestido de fiesta para siempre en la gloria de El Señor. Cúbrete con el manto de la justicia, aquel que viene de El Señor, y pon sobre tu cabeza la diadema de la gloria del Eterno; porque El Señor va a mostrar su esplendor a toda la tierra que está bajo el cielo. (Baruc 5, 1-3)

Y según la profecía de Isaías, todas las naciones vendrán a Jerusalén para consolidar la plenitud de la historia humana:

> El Señor, el todopoderoso, va a preparar, sobre esta montaña, un banquete, un festín con manjares sustanciosos y vinos generosos, grandes platos y vinos depurados. Y hará desaparecer de esta montaña el velo que cubría a todos los pueblos, el lienzo que tapa a todas las naciones. Él hará desparecer la muerte para siempre. El Señor enjugará las lágrimas de todos los rostros y ante todos los pueblos borrará la deshonra de su pueblo. Lo ha dicho él, El Señor. Aquel día dirán: Él es nuestro Dios, en él esperamos nuestra liberación. Este es en quien esperamos. Exultemos jubilosos porque él nos salva. (Is 25, 6-9)

La muerte del malvado

Memo:

El mal es la muerte del malvado; y su carencia, la alegría del justo. El mal es lo que acecha para producir dolor y confusión, lo que trae la enfermedad que apesta y supura, la ira y la locura, como dice el Salmo 38 (37). El mal es lo que nos aleja de los demás y nos encierra en nuestro propio infierno y nos silencia frente a las cosas bellas. Es un exilio al mundo de lo peor.

Y cuando el salmista dice que el mal es la muerte del malvado, no se refiere a la muerte física sino a la muerte en vida, pues la vida es el bien dado y el mal el rechazo a ese bien. Y en esto que está mal vemos al hombre que tiene sed y rechaza el agua, al que puede ver y se cubre los ojos, al que tiene una fruta dulce que puede morder y, en lugar de gustarla, la escupe.

Pero no hay que burlarse del mal sino tenerlo presente, saber que existe, que va contra los que han tomado el buen camino y permanece escondido para saltar encima de los viajeros. Porque viajamos por la vida y, en este viaje, que va del nacer al morir, el mal se manifiesta como confusión, ignorancia y dolor cuando aparece la envidia, la ira, el rencor, la codicia, y todo esto que nos desmesura (nos saca de la medida humana) y nos sitúa en el vacío.

La vida en buen estado es la razón de los salmos. Y esa vida (*jai*, en hebreo) se llena de más vida en la medida en que se la vive bien. O se reduce, si la vivimos mal, hasta llegar a desaparecer, no como hecho físico sino como entendimiento. Y si bien, como dicen los rabinos, el hombre nace malo (en la oscuridad de conceptos, ignorante o *tabula rasa*), la vida es el camino para abandonar la maldad a cada paso la posibilidad de ser malo y así llegar vivos al final, que es el agradecimiento de haber vivido. Y llegar vivos es haber cumplido con el buen vivir sin salirse del camino que señaló la libertad,[2] siendo la libertad lo que nos propicia entender, agradecer y ser parte de los cielos y la tierra en condición de alegría: ser útiles al otro, temer perder tranquilidad, construir razón e inteligencia y dejar un buen legado a los que vienen detrás de nosotros. Porque el bien honra y el mal deshonra, el bien eleva y el mal nos hunde.

El mal es la muerte del malvado, es su trayectoria en el miedo, sus manos inútiles, la conciencia en la oscuridad, la cercanía a lo bueno sin poder entrar en él. Son los muchos demonios que impiden la certeza y llevan de un error a otro. Es el crujir de dientes, los fríos al encontrarse con otro, la mentira que destruye la confianza, el haber nacido en vano. Y en el mal el hombre pierde su oportunidad sobre la tierra y su trasegar es doloroso y ciego. Y así, en el malvado, no hay vida sino negación permanente de luz. Y aun siendo perdonado, el malvado no se puede quitar de encima la huella de su maldad, pues lo malo se instala en el tiempo vivido (como un testigo perenne), en la memoria que carece de olvido y en haber perdido la opción de sentir y agradecer el bien. Así, el malvado muere más a cada acto malo que ejecuta. Y en este morir más huye de sí sin poder lograrlo. Él mismo se persigue, y en esta

---

2 La libertad es mejorar lo que uno hace, pues, si no se mejora lo que uno hace, se es esclavo de lo que hace.

autopersecución, se desmorona más, se destruye y los cielos y la tierra no son más que espacios en los que se pierde.

En los salmos el hombre escoge. Le han dado el bien y él decide construir sus raíces en él; raíces que, profundas en el bien logrado y enseñado, le harán resistir todas las tormentas. Pero igual puede escoger el mal para vagar por el borde del abismo, sin raíces, sujeto al caos y sin lograr vivir.

El mal es la destrucción y la Torá pone en guardia contra ello: si mato me destruyo, si miento igual, si codicio nada tengo, si deshonro la memoria de mis padres nada soy, si robo mis manos no han servido, si no agradezco (la razón del sábado es agradecer) nada he logrado, sino admito un *D's* el mundo no aparece.

Los salmos establecen lo que es la vida y lo que ella nos da. Y esto que es la vida es una escogencia, una decisión que, al ser tomada, comienza a vivir en nosotros.[3] Si escogemos el bien, la vida será buena. Si escogemos el mal, no habrá vida. El mal, entonces, es negarnos la vida. Por esto, los salmos alertan contra el mal: la vida es lo único que tenemos, lo que nos propicia ser en el bien que hay en nosotros y en lo dicho por los fundamentos que la optimizan, y perderla en la maldad es tirar al abismo el mejor regalo que nos dieron. Es como si alguien en un desierto le diera la espalda al oasis y, negándose a las bondades del agua, tomara por el camino hacia un paisaje repleto de rocas y de serpientes.

Somos en la vida. No somos en el mal. Y el sentido de la vida es ser en ella, llenarse de ella y construir palabras para glorificar el haber estado vivos. El mal, al contrario, impide la vida, la deshace y la confunde.

[3] En la película *Birdman*, la frase es clara: cuando tomamos una decisión, comenzamos a vivir en ella.

3. La muerte anida en el corazón y en las entrañas

El orante desea tener un corazón puro

Padre Hernán:

Los salmos de Israel son en verdad la vida y el camino del ser humano para vivir bien. Otra manera de ver y enfrentar el mal o a quien obra la maldad es mostrarle el paradigma: *el ser humano capaz de mantenerse fiel en el camino*. La fidelidad no excluye la fragilidad. Una persona fiel es frágil pero que no claudica. Por este sendero, se desplazan varias frases del Salmo 24 (23).

Como en casi todos los salmos, estamos en el Templo de Jerusalén. Se acerca una gigantesca procesión: a su llegada a las puertas del Templo, dos coros alternos entonan un canto dialogado: "¿Quién subirá al monte de El Señor?" (El Templo está construido en la altura, en el monte Sión). "¿Quién se podrá mantener en el lugar de la santidad?". Ya Isaías comparaba a El Señor tres veces santo con un fuego devorador, y preguntaba: "¿Quién nos mantendrá delante de este fuego devorador? ¿Quién se mantendrá delante de las llamas eternas?", entendiendo que "por nosotros mismos, no podremos sostenernos ante su mirada, ante la fortaleza de sus rayos" (Is 33, 14-15).

Es el grito de triunfo del pueblo elegido: admitido, sin méritos de su parte, en la compañía de El Señor santo; este es el descubrimiento del pueblo de Israel: El Señor es Santo, el Todo-Otro: "Santo, santo, santo El Señor, El Señor del universo", grita Isaías durante el éxtasis de su vocación… y al mismo tiempo, este El

Señor Todo-Otro se hace cercano al hombre y le permite "mantenerse" en su compañía.

Pero el canto continúa: "El hombre de corazón puro, de manos inocentes, que no entrega su vida a los ídolos": he aquí la respuesta, he ahí al hombre que se puede "mantener" delante de El Señor. No se trata aquí, ante todo, de un proceder moral; el pueblo se sabe admitido delante de El Señor, sin mérito de su parte; se trata de la adhesión de la fe en el único Señor, es decir, de un rechazo a los ídolos. La única condición al pueblo elegido para "mantenerse" delante de El Señor es permanecer fiel a El Señor único. Es "no entregar su vida a los señores vacíos". La expresión "entregar su vida" significa "invocar"; es una expresión bien conocida: "Levanto mis ojos hacia Ti, mi Señor". Igual a la famosa frase del profeta Zacarías: "Levantarán los ojos hacia aquel a quien traspasaron": levantar los ojos hacia alguien, en lenguaje bíblico, quiere decir orar, suplicarle, reconocerlo como El Señor. Se mantiene delante de El Señor de Israel, quien no levanta sus ojos hacia los ídolos, como lo hacen los otros pueblos.

El hombre de corazón puro quiere decir lo mismo: la palabra *puro* en la Biblia tiene el sentido usado en la química: un cuerpo o una sustancia es puro cuando no tiene mezcla; el corazón puro es aquel que se separa con decisión de los ídolos para volverse hacia El Señor. "El hombre de manos inocentes" tiene también ese sentido; las manos inocentes son aquellas que no han ofrecido sacrificios a los ídolos y no se han levantado para orar a los falsos señores.

Nos podemos detener en el paralelismo de las dos líneas del versículo (los dos "esticos" como se dice en los estudios bíblicos): "El hombre de corazón puro, de manos inocentes… que no entrega su vida a los ídolos". El segundo elemento de la frase es sinónimo del primero: "El hombre de corazón puro, de manos inocentes" es quien no se entrega a los ídolos.

Se trata quizá de la lucha incesante de los profetas en su esfuerzo por sostener al pueblo elegido lejano y distante de cualquier práctica idolátrica. Durante el exilio en Babilonia, el pueblo de Israel estará en contacto con una civilización politeísta; este salmo canta el regreso del exilio y reafirma esta primera condición de la Alianza. Israel es el pueblo que, con todas sus fuerzas, "busca el rostro de El Señor", como dice el último versículo. La expresión *buscar el rostro* era empleada por los cortesanos que querían ser admitidos en la presencia del rey. Es una forma de recordarnos que, para Israel, el verdadero rey es El Señor y solo Él.

Los ídolos no son más que "señores vacíos", que comienzan por el becerro de oro en el Sinaí durante el Éxodo, en el momento en el cual Moisés daba la espalda y tardaba en descender de la montaña donde se había encontrado con el Señor; el pueblo rodeó a Aarón hasta que aceptó hacerles el famoso becerro. Los profetas tienen palabras duras para fustigar a quienes fabrican estas estatuas para arrodillarse luego ante ellas.

El Salmo 115 va en esta línea:

> Sus ídolos son de oro y de plata, hechos por manos de hombres. Tienen boca y no hablan; tienen ojos y no ven; tienen orejas y no oyen; tienen narices y ni huelen; tienen manos y no tocan; tienen pies y no andan; no tiene ningún sonido su garganta... El Señor nuestro está en los cielos...; cuanto quiere lo hace.

Esta fidelidad a El Señor único es la única condición para acoger la bendición prometida a los patriarcas. La fidelidad a El Señor único traerá consecuencias concretas en la vida social: el hombre de corazón puro se convertirá poco a poco en un hombre de corazón de carne que no conoce el odio; el hombre de manos inocentes no hará el mal. El versículo siguiente "obtendrá la justicia de El Señor su Salvador" habla de ambos niveles: la justicia, en un primer sentido, es la conformidad al proyecto de El Señor; el hombre justo es quien lleva adelante y con fidelidad su vocación; la justicia nos compromete de manera concreta para conformar nuestra vida social con el proyecto de El Señor, que es la felicidad de sus hijos e hijas.

Las manos inocentes

Memo:

Estamos en la vida sin ningún mérito. Y estar en lo que nos ha sido dado, que está completo y necesariamente es hermoso,[1] sin que antes diéramos o provocáramos nada para merecerlo, ya es un asombro igual al que tuvo Adán cuando salió del Paraíso: se encontró con la vida y, para entenderla, puso su corazón en situación de pureza y así, dándole un sentido al encuentro, nombró las cosas y los seres para entrar en relación amable, de saber, conocer y entender lo que llegaba a sus sentidos y se transformaba primero en su corazón, siendo el corazón (o entrañas, como se lo nombra en el mundo judío) ese espacio que recibe y, carente de prejuicios, admite.

Y la primera admisión que fortalece a quien mira esa vida que lo acoge es la gloria de la Creación, lo que contiene la tierra y se ve en los cielos, y que como cosas creadas requieren un creador, un algo que, si bien está por fuera de nuestra inteligencia, es en cualquier magnitud y orden. Así, Adán, que es nombre que proviene de tierra roja (*adamá*), se reencuentra con un *D's* manifiesto (que ha dejado sus huellas) en el suelo que pisa y el paisaje no para de ser dador. Y eso que percibe está tranquilo, no teme a nada: es una voz que alienta a vivir. Y si se entiende esa voz que habita en el viento y en la sombra, en las raíces y en los frutos, en la luz y en la penumbra, en el ir hacia delante y en los encuentros, las palabras pronunciadas (que al nombrar ya convocan) son las exactas, esas que crean de nuevo el camino hacia el Paraíso perdido.

Un corazón puro y unas manos inocentes, dice el salmista, porque la pureza es claridad y espacio libre, y las manos inocentes las que construyen belleza en lugar de mal. No se puede acusar a esas manos de nada, porque son manos que agradecen, que reciben los dones de la Creación y las entiende más y las usa como es debido. Y en esa pureza en las entrañas y en la acción de las manos inocentes (carentes de toda culpa), aparece el yo primero, que

---

[1] Como dice Wilhelm Leibniz, la vida no se equivoca y produce para nosotros lo mejor que puede dar ella. Así, estamos en el mejor de los mundos posibles, así Voltaire se haya burlado de esta tesis de Leibniz.

frente a la vida se inicia puro y, si pierde el camino, se desordena y habita la falsificación. Esto es, cuando las entrañas se confunden y las manos realizan el mal.

En hebreo, *aní* es yo y *aín* nada. Esto quiere decir que si se mueve algo que configura un orden, si de un lugar exacto se pasa a uno inexacto, si una letra situada en una palabra cambia de lugar, lo logrado se desordena. Y en ese desorden desaparece lo básico y la creación, que da la tranquilidad; crea el miedo.

Con el corazón puro y las manos inocentes, la vida comienza a merecernos. Y para que este merecimiento se amplíe, hay que cumplir con un orden y unos fundamentos (los que me construyen como merecedor de la vida), siendo ese cumplimiento lo que permite que el corazón sea puro y las manos, que construyen, que llevan la semilla y la esparcen sobre el campo, que recogen la cosecha, sigan siendo inocentes. Y en esta inocencia el mundo sea alegre.

Pero, a fin de que la pureza del corazón y la inocencia de las manos sean un yo construido para no sentir miedo y ser en estado de agradecimiento, el salmista va más allá: el hombre es la decisión que toma, la palabra que nombra y convoca. Si la decisión es buena (crea bienestar para él y los demás), nace la aceptación de la responsabilidad. Y en lo responsable, respondemos al orden creado. Por esto, el rabino Hillel, apoyado en los salmos dice: "Si no yo, ¿quién? Sí no ahora, ¿cuándo? Porque soy responsable de mi *aní* (yo) y de mi acción, y para que mi responsabilidad frente a lo creado no entre en caos, me han dado los fundamentos, que son los mandamientos que, en su contenido, son todas las acciones buenas posibles, pues en cada mandamiento está la presencia de *D's* en situación de acogida. Si violo un mandamiento, soy un desgraciado, un carente de la gracia que da la vida cuando mi corazón es puro y mis manos, que son las que certifican la realidad del encuentro, las que me hacen sentir la creación tangible en mí, inocentes.

Si no yo, quién; si no ahora, cuándo; si no con un corazón puro, si no con una manos inocentes, ¿qué es de mí? ¿Qué convocamos? La vida nos acoge y en los salmos está que la acogida sea buena, pues ellos, como el agua fresca que se ofrece al viajero, es vida que continúa en paz. Es vida en la vida para no temer la muerte.

La responsabilidad personal

Padre Hernán:

Todo esfuerzo para aprovechar la existencia al máximo en beneficio personal y de la comunidad exige de cada uno y de los grupos mucha libertad, sobre todo libertad interna. Hay esclavitudes para abandonar y, por tanto, muchas libertades por conquistar. El Señor, al revelarse poco a poco a su pueblo, lo liberó de los ídolos; una de las peores esclavitudes del mundo es la idolatría. Aun en la prisión o en la esclavitud se puede conservar la libertad interior; pero, cuando se está bajo la tutela de un ídolo, ya no hay libertad interior. Esta es la definición de un ídolo: ocupa nuestros pensamientos hasta el punto de asumir el primer puesto en nuestra vida y, en definitiva, hasta piensa en lugar nuestro.

Para ser libre, en el contexto de la Biblia, el Salmo 25 (24) pone al orante delante de algunos de los mayores argumentos de la fe de Israel. En primer lugar, hacer memoria, no como simple recuerdo, sino como actualización (*zikkaron*) de El Señor liberador, salvador, El Señor de la salud. Es el primer artículo del credo de Israel, y el verbo *salvar* en la fe judía es sinónimo de *liberar*. El Señor ha liberado a su pueblo de la esclavitud en Egipto y en Babilonia: dos experiencias de salvación, de liberación, acompañadas por un formidable desplazamiento geográfico; el don de la Tierra Prometida, la primera vez y luego el regreso a Jerusalén.

El Señor liberador invita a quienes creen en Él a ser también liberadores:

> El ayuno que yo prefiero no es otro que este: romper los lazos de la maldad, desatar las correas del yugo, liberar a los quebrantados... ¿Acaso no es el compartir el pan con el hambriento? Y también, recibir a los pobres sin abrigo; si ves a alguien desnudo, lo cubrirás: no te apartarás de aquel que es de tu propia carne. Entonces, tu luz brillará como la aurora..., tu justicia marchará delante de ti y la gloria de El Señor te seguirá. (Is 58, 6-8)

En segundo lugar, para proceder de la manera descrita por los salmos y los profetas, es necesario ajustarse a la Torá entendida como un regalo del Señor. Es la consecuencia de descubrir que El Señor libera: la Torá se le dio a Israel para enseñarle a vivir como un pueblo libre y para ser, a su vez, un liberador. "Señor, enséñame tus caminos… Dirígeme con tu verdad, enséñame… El Señor enseña su camino a los humildes… Muestra a los pecadores el camino, su justicia dirige a los humildes".

Luego de haberle dado la Torá a Moisés, El Señor le dijo, como si fuera un secreto: "Ojalá fuera siempre así su corazón para que me temas y guardes todos mis mandamientos, preceptos y normas y de esta forma seas eternamente feliz, tú y tus hijos" (Dt 5, 29). Y Moisés le dijo al pueblo:

> Procedan como El Señor, su Señor, les ha mandado. No se desvíen ni a la derecha ni a la izquierda. Sigan en todo, el camino que El Señor, su Señor, les ha trazado: así vivirán y prolongarán su días en la tierra que van a tomar en posesión. (Dt 5, 32-33)

Es fundamental aquí la imagen del camino: "Señor, enséñame tus caminos, muéstrame tus vías, hazme conocer la ruta… El Señor muestra a los pecadores el camino, enseña su camino a los humildes". El verbo *dirigir* evoca también la imagen del camino: "Dirígeme con tu verdad… Su justicia dirige a los humildes". La imagen del camino es típica de los salmos penitenciales: pues el pecado, en el fondo, es una falsa ruta; quien habla aquí y le pide a El Señor le indique el buen camino es un pecador que conoce por experiencia que para él hay un bien y un mal en su camino.

También hablamos del camino para referirnos a la conducta cuando hablamos del recto camino. En hebreo, el término *conversión* (*shub*) significa "media vuelta". En la Biblia, el pecador que se convierte da media vuelta; vuelve la espalda a los ídolos, cualesquiera que sean, que lo hacen esclavo, y se vuelve hacia El Señor, que lo quiere libre. En el fondo, el examen de conciencia nos hace descubrir lo que nos impide ser libres para amar a El Señor y a nuestros hermanos.

Y en tercer lugar, el Salmo 25 (24) nos pone delante de una de las imágenes más sugestivas de El Señor: Él es amor, compasión, perdón, olvido… "Recuerda, Señor, tu ternura, tu amor eterno". El Señor se presentó con palabras similares a Moisés en el Sinaí: "El Señor misericordioso y bondadoso, lento a la cólera y rico en fidelidad y lealtad" (Ex 34, 6). El amor de El Señor es de siempre, lo sabe bien la Biblia hebrea. Después de la experiencia de la liberación de Egipto, después de descubrir a El Señor que propone su alianza con su pueblo, pudieron reflexionar en términos nuevos acerca del acto creador de El Señor. Y, de golpe, el concepto del pueblo de Israel sobre la Creación cambió en relación con la imagen de los otros pueblos. Desde entonces comprendieron que el acto creador de El Señor es un acto de amor: si El Señor creó a la humanidad, no fue para satisfacer sus caprichos o su deseo de tener unos esclavos, como creían en Mesopotamia, sino que fue por amor.

Un amor que se extiende a la humanidad de todos los países y en todas las épocas: como lo evidencia el relato del diluvio. En Israel, cuando piensan en la Alianza propuesta por el Señor a su pueblo, nunca dudan de su inscripción en un marco más amplio: la Alianza del Señor con la humanidad. Finalmente, si el Señor es amor, Él no espera nada a cambio: ¡el amor siempre es gratuito, o ya no es amor! Basta dejarse colmar. Por estos motivos, el Salmo 25 (24) es un himno de alegría y esperanza.

Libres para recorrer un camino

Memo:

La libertad interior, esta que propicia un ser que cada día se reconoce más en orden con el mundo, se hace en el exilio y en el peregrinaje. Y por caminos distintos de los de nuestros fundamentos; como dice Maimónides en su *Moré Nebujim* (*Guía de los perplejos*), realmente probamos nuestra libertad, pues la libertad no es un ir sino una escogencia cifrada en cuanto nos hace bien, porque se fundamenta en lo que nos ha hecho bien. Pero para lograr esa libertad interior, aquella que nos define en la vida, pues a ella debemos lo que somos o dejamos de ser, se requiere un basamento bueno con el que no discuto, porque esas bases (*que buscan que yo sea sin temor*) me hacen y me dan la vida como oportunidad.

En esa libertad interior, que me define e identifica, está lo que esperamos, porque la espera finaliza cuando ya se ha construido lo que se esperaba. Así, la esperanza, que hace parte de la libertad interior, no es un azar sino llegar a un final, paso a paso (*un continuo de la potencia a la acción*), que reafirma el bien que contendrá ese bien que se busca, pues el bien crece en la medida en que se hace el bien; e igual pasa con el mal, que se amplía y encadena a medida que se comete el error.

En los salmos, la esperanza es una continuidad, pero al mismo tiempo es el fin para quien ha hecho el camino hacia ella. No es una esperanza inútil, sino un bien que se eslabona con otro; y en la medida en que hay más eslabones, hay más esperanza cumplida. Y en esto consiste la libertad interior como esperanza, en andar el camino como Abraham, señalando con altares de agradecimiento cuánto se ha hecho bien, porque, en hacer el bien, el hombre se encuentra con *D's* y lo entiende. Y en este entendimiento, la esperanza se cumple como don construido en relación yo-tú, a la manera de Martin Buber: *un yo que pregunta para obtener la respuesta como bien para aplicar*.

De igual manera, la libertad interior es una alegría, pues el bien no produce más que estar con el mundo en relación de acogida; es decir, nos alegramos cuando nos encontramos y, en el encuentro, no hay error sino más seguridad para continuar el camino. Y en este punto los salmos son claros, proclaman la seguridad y dan cuenta de todo aquello que la produce o la elimina. Y en esta seguridad, alegría plena en el momento y con relación al otro, nos potencializamos para seguir en situación de alabanza: agradeciendo por los pasos dados y el próximo, que ya está potencializado para ser bueno.

Ahora, esa libertad interior, que crea el cumplimiento de la Torá, se prueba en el exilio, lejos de las fuentes y en medio de un mundo desconocido o, si se quiere, en el misterio. Allí, lejos de los míos y del lugar que me acoge, mi libertad interior es la que escoge lo que me hace bien. Pero no es una escogencia al azar ni llevado por los sentidos. No, es una comparación de lo que me llega con lo que ya es mío, buscando en eso que encuentro lo mejor para que no altere lo que soy ni me confunda. Y la medida que uso son mis fundamentos, las raíces que me nutren como ser bueno. Y vuelvo a Maimónides: no importa dónde esté ni con quién me mueva, mis fundamentos son mi protección, son la luz sobre el camino, son la palabra que admite o rechaza para que yo siga siendo el que soy y mi fin no se obstruya.

En el exilio, el mundo es otro, las palabras son diferentes, los temores son más. Pero si soy, si en mi equipaje llevo lo que me hace a mí como hombre libre (*carente de miedo por carencia del error*), no debo temer. Por el contario, voy a encontrar en el exilio aquello que me ha hecho. Fue lo que les pasó a los judíos en Babilonia: siguieron siendo ellos en la medida en que recordaban Sión, siendo Sión más que una colina. Sión representaba la Torá, el Templo, Jerusalén; en fin, lo construido e imposible de dejar para evitar ser destruidos.

Y de la misma forma, esa libertad interior es un peregrinaje: cada tanto hay que regresar a las fuentes, a lo radical, como decía Dov Ber Borojov,[2] pues en ellas está la esencia de lo que somos, de los órdenes que asumimos para ver la vida sin dolor y el destino de nuestro fin. Así, la libertad interior, que construye el salmista, es la vida misma en el bien, siendo el bien nuestro y en común el resultado de ser libre.

La alegría de la libertad

Padre Hernán:

Me uno a su frase, "la libertad interior produce alegría". Y una de las manifestaciones de esa alegría, para el orante de los salmos, queda al descubierto en el canto gozoso del aleluya: "alabad al eterno, alabad a El Señor". Uno de los himnos del salterio comienza con esa alegre expresión, el Salmo 147ª (146). La palabra *aleluya* posee una impronta particular en la tradición judía: es la aclamación dirigida a El Señor como liberador de su pueblo:

> El Señor nos hizo pasar de la esclavitud a la libertad, de la tristeza a la dicha, del duelo a la fiesta, de las tinieblas a la luz radiante, de la servidumbre a la liberación. Por esto cantamos ante Él "aleluya". (Mishná, Tratado Pesahim v. 5).

La frase anterior se puede parafrasear en el salmo, así: ¡Es bueno festejar a nuestro Señor, es bueno cantar su alabanza! Y el motivo

---

2 Teórico de la cuestión nacional como radicalidad: somos en las raíces que nos hicieron y no en otro lugar.

de la alegría se indica en el versículo 3: "El Señor cura los corazones destrozados, sana sus heridas", como sucedió con Job quien tenía destrozado su corazón; él afrontó el más cruel de los enigmas de nuestra vida, *el sufrimiento*. Sobresale en Job, en medio de su dolor, la tenacidad para entrar en diálogo con El Señor a todo precio. Y descubre, al final de cuentas, que lo libró de todos sus sufrimientos, no un golpe de magia o de suerte sin más, sino la constante presencia de El Señor a su lado. Job pudo constatar que pase lo que pase El Señor siempre está ahí.

Al decir: "El Señor cura los corazones destrozados, sana sus heridas", se trata exactamente de los corazones y no de algunos miembros del cuerpo de manera general. La presencia de El Señor entre los pequeños y quienes sufren es uno de los grandes descubrimientos de la Biblia hebrea: desde entonces, el ser humano no está solo frente a las dificultades y las crueldades de la existencia. El libro del Eclesiástico llega a decir: "Las lágrimas de la viuda corren por las mejillas de El Señor" (35, 18). Quizá la frase de los corazones destrozados sea aquí una imagen de los judíos de Jerusalén, deportados en Babilonia por Nabucodonosor… El aleluya les permite entender: "El Señor reconstruye Jerusalén, reúne a los deportados de Israel, cura a Israel". He ahí la primera estrofa en su conjunto. "Aleluya, es bueno festejar a nuestro Señor, Él sana los corazones destrozados y cura sus heridas".

Este "Aleluya", como un canto de la liberación, toma su sentido en la memoria del final del exilio en Babilonia. El regreso se vivió no solo como una liberación política, sino también como una liberación espiritual: durante el exilio el pueblo de Israel tuvo el espacio para leer su historia y hacer su examen de conciencia; los profetas habían anunciado el desastre si no se convertían, y llegó el desastre bajo Nabucodonosor. El regreso al país, la reconstrucción de Jerusalén, abrieron las puertas a un nuevo futuro: *El Señor los ha recuperado*. Desde ahora, al regresar a la tierra santa, van a intentar de nuevo vivir como "personas limpias".

Y en las frases posteriores del salmo no se cambia de sujeto: "Él cuenta el número de las estrellas, y a cada una la llama por su nombre", es quizá una alusión a la Creación; la fe para Israel comienza así: "Creo en El Señor liberador"; y el segundo: "Creo en El Señor creador". La fe en El Señor creador se lee a la luz de la experiencia de la liberación de Egipto y de todas las liberaciones sucesivas; el creador es admirado, alabado por su fuerza, pero, sobre todo, por su proyecto de amor con la humanidad.

Además, cada vez que se habla de las estrellas en Israel, se piensa con bastante probabilidad en la famosa promesa hecha a Abraham: "una descendencia tan numerosa como las estrellas del cielo, como la arena de la playa marina". El proyecto de El Señor sobre el hombre es un sueño de grandeza (a la altura de las estrellas); el creador, al formar al hombre a partir del polvo de la tierra, es también quien sin descanso lo levanta cada vez que sea necesario para atraerlo hacia Él: "El Señor levanta a los humildes". A los humildes, a los pequeños, los hallamos con frecuencia en la Biblia; son quienes no tienen ninguna pretensión delante de El Señor, ni por sus méritos ni por su valor. Los impíos (*los pretenciosos*) no están listos ni bien dispuestos para acoger los dones de El Señor.

En la frase: "El Señor levanta a los humildes y abaja hasta el polvo a los impíos", se reconoce el cántico de Ana, la madre de Samuel y algunos salmos (113, 5-9). También Jesús de Nazaret tuvo predilección por los pequeños: "Te alabo, Padre, Señor del cielo y de la tierra, porque has ocultado esto a los sabios e inteligentes y lo has revelado a los más pequeños" (Mt 11, 25).

Por estos motivos, el canto de gratitud brota del corazón de los creyentes: "¡Es bueno festejar a nuestro Señor… Es bueno cantar su alabanza!". Y es bueno de dos maneras: ante todo, porque es justicia, y luego, porque es nuestra felicidad. El ser humano está hecho de tal modo que solo encuentra su felicidad en una relación cercana con El Señor. Agustín de Hipona oraba así: "Nos has hecho para ti, Señor, y nuestro corazón no descansa (está inquieto) mientras no descanse en ti".

En los periodos de una gran angustia, en los momentos en los cuales podrían verse inclinados a la desesperación, los autores bíblicos escriben los textos más bellos y profundos sobre la Creación: *así (hacen memorial) recuerdan la fuerza y la solicitud de El Señor*. El creador hace surgir todo a partir de la eficacia de su Palabra, sabe hacernos surgir del abismo (por ejemplo, los textos del Segundo Isaías durante el exilio en Babilonia y también los capítulos 38 a 41 del libro de Job). El texto del salmo pone al descubierto que El Señor es mucho más creativo y original en los momentos de crisis y que a la vez nos contagia esta misma actitud.

El *Shaday*, fuente de alegría y de libertad

Memo:

En el judaísmo, a *D's* se lo concibe a través de 72 adjetivos, que, si bien no lo nombran,[3] sí lo manifiestan ante el entendimiento humano. Y uno de esos adjetivos es *Shaday*, todopoderoso. Es una manifestación de *D's* que tiene como fin la alegría de la libertad interior. Así, el fin del hombre es ser alegre y no, como se pensaría, estar alegre. Estar en estado de alegría es un medio, pues la condición de estar es móvil, en tanto que ser en alegría es un fin, pues ya es una totalidad.

Shaday, significado con la letra *shin*,[4] está en todas las *mezuzot*,[5] y en muchos libros escritos por los rabinos da inicio al texto, porque el *Shaday* es un impulsor de las virtudes de la *neshamá* (el alma). Y estas virtudes, que son el bien vivido en sí, propician el ser en la alegría, que es la manera más bella de ver el mundo y sentirse en él como creatura y frente al creador.

Pero para entender la alegría, es necesario conocer el sufrimiento y habitarlo, ya que el sufrimiento (como opuesto) da real valor a la alegría. Si fuéramos solo alegres, no sabríamos que lo somos. Y si solo sufriéramos, tampoco sabríamos que eso que nos pasa es sufrimiento. Así, para que exista la alegría, es necesario sufrir antes. Por esto, en la Biblia, primero hay que atravesar el desierto y sentir la escasez, revisar lo que nos produce dolor y buscar la liberación de ese dolor. Y es en este paso por el desierto cuando, después de mucho caminar, nos encontramos con la alegría. El

---

[3] Hay un Nombre que lo contiene, pero que está compuesto de palabras inefables y, por eso, ese Nombre no cabe en el entendimiento humano. Ese nombre es el *Shem HaMeforash*, el nombre sagrado y secreto de *D's*.

[4] *Shin*, la penúltima letra del alefato, tiene un valor de trescientos y por gematría vale igual que *guimel*, la palabra con la que se escribe *gal-gal* (rueda) y *gamal* (camello), las cuales indican movimiento. Pero con *shin* se escribe también *Sheker* (mentira), que es alejarse del *Shaday*, todo poderoso, y perecer.

[5] Cajitas que se ponen en todas las puertas de las casas judías que contienen en su interior el *Shemá Israel* (escucha Israel, nuestro *D's* es uno), el credo del judaísmo.

agua es más fresca y pura en la medida en que la sed fue intensa, y nunca un reposo fue más benefactor que cuando hubo mucho cansancio. Y el encuentro fue siempre más alegre solo después de haber buscado mucho eso que habíamos perdido y nos hacía bien.

El salmista no evade el sufrimiento, por el contrario, lo valora como un comienzo de alegría. Porque, al iniciarse y vivir el sufrimiento, también comienza el final de este. Y su final es necesariamente la alegría, construida en la medida en que el sufrimiento se fue dando, porque en el sufrir está buscar la salida y son los fundamentos los que, si son cumplidos, impiden no desesperar. Lo fundamental propicia la paciencia y el paciente termina en estado de alegría, pues salió del sufrimiento y entendió y dotó de valor a esta experiencia, que es de aprendizaje. Y en esta paciencia está presente el *Shaday*, el todo poderoso, que indica y conduce en la dirección correcta. Porque al final de la oscuridad siempre está la luz; y después de la noche, el día. Y toda destrucción es al mismo tiempo el inicio de una construcción.

Por esta razón, se celebra en el judaísmo el 9 del mes de *Av*, que recuerda la destrucción del Templo, pero a la vez la reconstrucción del judaísmo. Y pasa igual con la festividad de *Sucot* (las cabañas), cuando se recuerda el paso por el desierto. Y en *Pésaj,* la Pascua, se celebra el paso de la esclavitud a la libertad, recordando el casi no haber sido (la condición de esclavitud) y el ser ahora libres. En todos estos sufrimientos, estuvo presente el camino señalado por el *Shaday*; por esto, se festeja *Simjat Torah* (la alegría de la Torá), que fue el final del camino y la claridad que al fin se hizo.

En el refranero judío, hay una frase: "judío que se respete como tal, se quiebra al menos dos veces en la vida". Con lo cual se quiere decir que cada tanto hay que entrar en el sufrimiento para valorar la fuente que nos da alegría. Porque la alegría es un final del camino recorrido, un haber superado obstáculos y haber conocido lo que no es, nos confunde, pero que, con la presencia del *Shaday*, se aclara.

¿Por qué sufrimos? Los salmos lo dicen, porque el sufrimiento no es un azar sino un desviarse. ¿Y por qué nos alegramos? Los salmos también lo dicen, porque la alegría es salir del sufrimiento siguiendo la ruta del *Shaday*, que es agua fresca y limpia para quien ha sentido más la sed. Agua que renueva la vida dando más vida.

No hay exilio que no concluya, no hay mal que no termine, no hay búsqueda que no encuentre. Pero el exilio, el mal y la búsqueda concluyen si los fundamentos son fuertes, radicales (*profundos en sus raíces*), si es Torá. De lo contrario, la tormenta pasará y nos llevará con ella.

4. El sufrimiento según el libro de los Salmos

¿Por qué sufrimos? ¿Por qué nos alegramos?

Padre Hernán:

Me cuestionan sus más recientes preguntas: ¿Por qué sufrimos? ¿Por qué nos alegramos? Son argumentos complejos, pero importantes e interesantes para todos. Y descubro en los salmos un elemento característico de la Sagrada Escritura: en la Biblia, el creyente jamás duda de la compañía de El Señor; El está ahí en todo momento, es solidario y escucha su plegaria.

Por ejemplo, el Salmo 102 (101), escrito en 29 versículos, sobre todo al inicio (2-3, 4-5, 6, 13, 20-21), repite con fuerza varias expresiones. Es clave la petición de ayuda a El Señor y la certeza constante de ser escuchado. Ambos, son aspectos muy propios de la fe judía en toda circunstancia. ¿Quién se queja en este salmo? El primer versículo, la "inscripción" del himno, precisa: "Oración de un afligido que desfallece y se queja ante El Señor". No dice quién es el angustiado (veremos luego que se trata de todo el pueblo). Pero empecemos por oír su queja, de un gran realismo; quien habla sabe encontrar las palabras adecuadas para describir su sufrimiento:

> Mis días se van como el humo, mis huesos como una brasa en el fuego; mi corazón se deshace como la hierba trillada, y me olvido de comer mi pan. A fuerza de gritar mi queja, mi piel se pega a mis huesos. (vv. 3-6)

Como si escucháramos a Job el leproso: "Mis huesos se pegan a mi carne" (Jb 19, 20), y conocemos la repulsión que inspiraba su enfermedad: "Todos mis íntimos me tienen temor, aun los que yo amo se vuelven contra mí". Y el enfermo sabe que se habla a sus espaldas, supone la evolución de su enfermedad, y dicen: "Has visto, su carne empeora a nuestra vista, sus huesos, que no se veían, ahora aparecen" (Jb 33, 21).

Veamos otros versículos del Salmo 102:

> Me parezco al búho del desierto, igual que la lechuza de las ruinas. Permanezco despierto y gimo como un pájaro solitario en el techo… El pan que como es la ceniza y mezclo con lágrimas mi bebida… Mis días son como la sombra y me seco como el heno. (vv. 7-12)

Quien se expresa en este salmo está lleno de tristeza; pero ¿quién es él? Si leemos el salmo completo, es claro: se trata del pueblo de Israel, llamado simplemente "Sión". En realidad, la evocación de una terrible enfermedad no es sino una metáfora, una comparación para recordar el gran drama vivido por todo el pueblo. Que se trata del pueblo, lo muestran los versículos 14 y 15: "Tú te alzarás por amor de Sión pues es tiempo de tener compasión; sí, ha llegado el momento. Tus servidores, están apegados a tus piedras y su polvo les hará piedad". Saber de qué mal se trata lo entendemos por la evocación del polvo y de sus ruinas: el salmo está escrito en un momento en el cual Jerusalén está destruida y le piden la reconstrucción a El Señor. Este dato explica algunos versículos: "Todos los días me insultan mis enemigos… Ante tu cólera y tu enojo tú me has levantado y tirado" (vv. 9 y 11).

La comparación con la hierba trillada, repetida dos veces en el salmo, nos pone ya en el camino: Isaías la había empleado cuando el exilio en Babilonia: "el pueblo es hierba" (cf. Is 40, 6-8); este salmo, haciendo eco se queja: "Mi corazón se deshace como la hierba trillada". El agobiado que se expresa en el salmo es, entonces, el pueblo de Israel, quizá, como ya se ha dicho en otros apartes de este libro, en uno de los momentos más difíciles de su historia.

Pero, al mismo tiempo, a pesar de las circunstancias y tal vez como fruto de ellas, el pueblo nunca pierde la fe, anticipa la reconstrucción de la Ciudad santa: "Las naciones temerán el nombre de El Señor y todos los reyes de la tierra su gloria; cuando El

Señor reconstruirá a Sión" (vv. 16-17). No hay duda: después de la revelación en la zarza ardiente, el pueblo sabe, tiene una certeza de que Dios escucha nuestras plegarias: es silencioso, quizá, pero no es sordo. Y en los momentos más difíciles, el rol de los profetas era, de hecho, reavivar la esperanza. Por eso suplican: "Señor, escucha nuestra plegaria; que mis gritos lleguen hasta ti. No me escondas tu rostro el día de mi angustia". Pero saben que Dios escucha la súplica y afirman: "Tú, Señor, estás ahí por siempre; de edad en edad te recordaremos". Por esto, ya podemos anticipar la renovación de Jerusalén:

> Te levantarás por amor de Sión ya que es tiempo de tener piedad... Desde las alturas, en su santuario, El Señor está observando; desde el cielo mira la tierra para escuchar la queja de los cautivos y liberar a quienes debían morir.

Quienes sufren, y este dato nos deja estupefactos, se regocijan por anticipado con la salvación del pueblo elegido como una ocasión propicia para hacer descubrir a los demás la grandeza de Dios: "Las naciones temerán el nombre de El Señor... cuando El Señor reconstruya Sión... Se publicará el nombre de El Señor en Sión y su alabanza en Jerusalén cuando se reúnan los pueblos y los reyes para servir a El Señor" (vv. 17 y 23).

Ni en la alegría ni en el dolor estamos solos

Memo:

El mundo es nuestra única referencia de comparación. En él nos vemos y actuamos, con él nos comparamos y, en compararnos, obtenemos un conocimiento, una vía, un estar en situación. Así, no somos ni estamos solos ni en la alegría ni en el sufrimiento. A nuestro alrededor, hay un algo que impide que nos perdamos (del todo), lo cual lleva a percibir saber qué nos pasa o, al menos, a creer saber a qué se debe nuestra situación. Y en este creer, que ya es un camino, el hombre justo busca una respuesta a partir de los fundamentos que le han sido dados. Y la respuesta está ahí, dispuesta a darse.

En el judaísmo, no se discute si *D's* existe o no. Los rabinos lo tienen claro: si hay mundo hay *D's*; si no hay mundo no hay *D's*. Esto quiere decir, si tenemos la referencia de comparación, *D's* está presente. Si se carece de la referencia, *D's* se oculta, no está o, según Martin Buber, se eclipsa. Así, sufrimos porque percibimos lo que sufre y, al percibirlo, entramos en el sufrimiento. De igual manera, nos alegramos porque la alegría se nos muestra y nos dejamos invitar por ella.

Y el mundo (*la tierra, los cielos y su contenido*) es nuestra única referencia de comparación, porque él es la creación de *D's* y ahí está contenido todo, lo que entendemos y lo que se mantiene en el misterio, lo que es para nuestro espejo y lo que fluye para que exista el tiempo. Y en este tiempo, que nos referencia la vida (*la única posible de entender*), el salmista sabe que hay sufrimiento y alegría, pero no como algo externo sino en él mismo. Por esto clama y agradece, por esto reclama y recibe. En el salmo, yo soy el que sufre siendo en el sufrimiento ajeno. Y yo soy el que se alegra en la alegría del otro. Es una ética de la alteridad que me dice que estoy propenso a estar solo y enfermo o acompañado y alegre. Y que la primera compañía o ausencia es la del mundo, que es mi referencia y mi lenguaje, la imagen que me hago en inclusión o en rechazo.

El mundo, que es creación dadora, que propone y pone ejemplos con lo que contiene, es el camino hacia *D's*. El mundo es lo que *D's* hizo, es su movimiento y su reposo, es la esencia de la Torá escrita, es la palabra con la que nombramos y, si los fundamentos son sólidos, nos hacemos en el Nombre (*HaShem*). Por esta razón, se dice *Baruj Ha Shem* (bendito sea *D's*), porque él y su manifestación creadora es una bendición, un reconocimiento, una acogida que le da hospitalidad al que sufre, para que descanse y se cure, y comparte la alegría del que está alegre, para que la vida se manifieste hermosa y haya una referencia del final del justo.

¿Y por qué en los salmos hay más referencia al sufrimiento que a la alegría? Porque en la vida estamos entendiendo y, en esto de entender, las confusiones y el caos se hacen presentes, siendo la mejor situación salir de esto que nos coloca en posición de desespero. Y para salir hay que usar referencias, sentirse como el búho, saber que la boca puede ser un desierto y los ojos algo que no ve. Si esto no sucediera, ¿cómo encontrar el camino de salida? ¿Cómo buscar la cuerda que nos saca de la cueva, que es la que nos tiende los fundamentos?

Sufrimos para que la Torá sea una realidad de salvación, es decir, para que los fundamentos sean el rescate. Si no sufriéramos, si no sintiéramos dolor y miedo, frío y soledad, ¿qué razón tendría saber cuál es el camino bueno? El salmista nos pone en situación para que exista el agradecimiento, para que el fundamento tenga validez y para que, saliendo del sufrimiento, la alegría sea la consecuencia de la justicia y, en ella, como alguien que nunca se zafó de la cuerda, el hombre justo dé la cara a *D's* y sienta que estar vivo es bueno. Y esto bueno es alegrarse con los dones de la Creación, que son el mundo real creado por *D's*. Dones que nos hacen humanos en la medida en que abandonamos el sufrimiento, que es una prueba. ¿Pues cómo valorar la llegada al oasis si no hubiéramos sentido que el desierto casi nos impedía llegar a él?

Somos en la reconstrucción, pues ya hemos sabido qué es la destrucción. La experiencia fuerte y confusa nos hace en la cautela, pero más no hace la fundamentación (lo que siempre se debió hacer) que nos permitió salir de ella. El hombre es en lo que agradece.

El Señor, la fuente del consuelo

Padre Hernán:

Me llama la atención cuando usted habla de El Señor, de *D's*, como fuente de consuelo, de apoyo y de hospitalidad. El Salmo 92 (91), sobre todo en los versos 2-3, 13-16, presenta a El Señor como la Roca. "No hay engaño en Dios, mi Roca". El pueblo de Israel sabe muy bien que ha llegado a acusar a Dios de engaño; en el desierto del Sinaí, por ejemplo, un día de gran sed cuando la deshidratación amenazaba a los animales y a las personas, se llegó hasta acusar a Moisés y a El Señor: nos hicieron salir de Egipto con la promesa de la libertad, pero en realidad, era para dejarnos morir aquí (en el desierto). Es el famoso episodio de Masá y Meribá (Ex 17, 1-7). Pero, a pesar de las murmuraciones y los gritos de revuelta, El Señor fue más grande que su pueblo encolerizado; El hizo correr el agua de una roca y, desde entonces, se llamó a El Señor "Mi Roca", como una manera de recordar la fidelidad de Dios, más fuerte que todas las dudas de su pueblo.

En esta roca, Israel ha probado el agua de su supervivencia... Pero, sobre todo, a lo largo de los siglos la fuente de su fe, de su confianza... Lo dice el salmo al final: "El Señor es mi Roca", o al comienzo del salmo: "Yo anuncio desde la mañana tu amor; tu fidelidad a lo largo de las noches". El recuerdo de la roca es el recuerdo de la experiencia en el desierto y de la fidelidad del Omnipotente más fuerte que todas las revueltas. Y la expresión "tu amor y tu fidelidad" es a la vez el recuerdo de la experiencia en el desierto: la expresión empleada por El Señor para hacerse conocer de su pueblo: "El Señor, El Señor, compasivo y bondadoso, lento a la cólera y lleno de fidelidad y de lealtad" (Ex 34, 6). Esta expresión es repetida muy a menudo en la Biblia y, en particular, en los salmos como recuerdo de la Alianza entre el Eterno y su pueblo: "El Señor de amor y de fidelidad, lento a la cólera y lleno de amor".

El episodio de Masá y Meribá, o mejor, la secuencia: *prueba del desierto, duda del pueblo, intervención de Dios*, se repite muchas veces, cuando el pueblo de Israel tuvo sed, pero también cuando el agua no era buena; o cuando tuvo hambre (recordemos el maná y las codornices y las aguas amargas de Mara). Se repetía tan a menudo que se concibió como casi inevitable si no estaban atentos... Pues el ser humano está inclinado a acusar a El Señor de engaño cada vez que una acción no sucede según sus deseos.

Por este motivo, para retener la lección fundamental, se escribió el relato del Jardín de Edén: una serpiente, astuta en cuanto engañosa, le hace creer al ser humano que es El Señor quien quiere engañarlo. Y le insinúa: "Les prohibió los mejores frutos con el pretexto de librarlos del peligro". Para la serpiente esos frutos son venenosos cuando en realidad son todo lo contrario. Y el varón y la mujer caen en la trampa. Y siempre se repite la historia desde cuando el mundo es mundo.

¿Cómo protegerse de una vez por todas contra este peligro? El salmo nos señala el medio para protegernos: basta con plantarse en el templo como un cedro y cantar a Dios. Escuchamos el primer versículo: "Es bueno dar gracias a El Señor, cantar para tu nombre, Oh, Altísimo". Deberíamos traducir: "Es bueno para nosotros dar gracias a El Señor, es bueno para nosotros cantar para tu nombre, Oh, Altísimo". Porque, de hecho, el pueblo de Israel le canta no solo a El Señor sino también a nosotros porque nos hace mucho bien. Agustín de Hipona dirá: "Todo lo que el hombre hace para Dios aprovecha al hombre y no tanto a Dios". Cantar para Dios, en definitiva, nos abre ojos a su amor y a su fidelidad desde la mañana y a lo largo de las noches; esta decisión equivale a protegerse de los engaños de la serpiente.

El salmista emplea la expresión "Es bueno…"; es la misma palabra *bueno* (*tov* en hebreo) empleada para decir "bueno para comer", agradable a la vista. Es necesario gustar para poder hablar de ello. El salmo dice un poco más adelante: "El hombre limitado no lo sabe… el insensato no puede comprenderlo", pero el creyente sí lo sabe: sí, *es bueno para nosotros cantar el amor de El Señor y su fidelidad.* Porque es la verdad y solo esta confianza invencible en el amor del Altísimo, en su designio amoroso, ilumina nuestra vida, en toda circunstancia, en tanto que la desconfianza, la duda, falsean por completo nuestra mirada y la imagen del Altísimo. Dudar de El Señor es una trampa en la cual no debemos caer; es una trampa mortal.

Según el salmo quien así se protege es como un árbol capaz de conservar su savia y su verdor. En el territorio de Israel, es una imagen muy sugestiva; si los cedros del Líbano, las palmeras de los oasis, hacen soñar, es gracias a que allí el problema del agua es crucial. El agua es vital y en algunos lugares es escasa. Los habitantes esperan con impaciencia la menor lluvia de otoño que hace reverdecer los paisajes desérticos cercanos a Jerusalén. Para el creyente, el agua vivificadora es la presencia de su Creador. Este es un salmo para el día sábado, el día por excelencia en el cual se canta el amor y la fidelidad de Dios.

Es bueno para nosotros tomar conciencia y cantar que El Señor es Amor… pero también es bueno para los demás y se lo debemos decir… Es el sentido de la repetición del término *anunciar* al comienzo y al final del salmo. Tenemos aquí una "inclusión". Al comienzo: "Es bueno dar gracias a El Señor, cantar para tu nombre, Oh Altísimo, anunciar desde la mañana tu amor", y al final: "El justo es como un cedro del Líbano… al envejecer da frutos todavía para anunciar que El Señor es recto". Aquí la palabra *anunciar* significa "anunciar a los otros, a los no creyentes". A lo largo de los siglos, el pueblo de Israel descubrió su misión de ser testimonio del amor de Dios para todos los seres humanos.

Dios con nosotros en la impaciencia y en el desespero

Memo:

El desespero y la impaciencia son manifestaciones humanas. Y en ese desespero que nos ingresa en la confusión, dejamos de ser, usamos mal los fundamentos y, en ocasiones, nos perdemos, pero no ante *D's* que siempre está ahí, sino en nosotros mismos, que no vemos a *D's*. Pero finalmente *D's* nos da y nos saca del caos. No hay un desespero eterno (*solo existe para el malvado*), sino siempre un inicio de la calma. Y *D's* no es una cosa que vemos sino la esencia del interior que vemos, su relación con el mundo y nosotros, donde todo es posible. Esta es la enseñanza de la expresión: "El Señor es mi roca".

Si todo se nos diera inmediatamente cuando pedimos, no sabríamos que nos es dado. Y lo usaríamos mal, pues el pedido que se responde de inmediato carece de necesidad vivida, de paciencia (*saber para qué pedimos*) para cuando se dé, de entendimiento para cuando lo conozcamos.

Lo humano del hombre es su encuentro con el destino, decía Vasili Grossman.[1] Y ese encuentro, que depende de lo que somos y las fundamentación que tenemos para ser, es lento. Es un encuentro al que hay que llegar con las preguntas y las respuestas habidas por el camino, con lo vivido y lo admitido, con agradecimiento por lo recibido antes. Así que el salmista, al proponer a *D's* como roca, propone llegar a El con un camino recorrido, con agradecimiento acumulado, con la seguridad que en El, como roca, está la vida. Y la vida no es un ya sino un hecho que es continuado por otro, es agua que comienza en una gota y se vuelve arroyo y luego río para terminar siendo mar. Y comienza en una roca, en el desierto, en el nacer y no percibir nada de inmediato sino a medida que los días se van dando, cuando los encuentros acontecen y los fundamentos nos hacen ya para vivir, ya para prevenir lo que daña la vida.

Y entender la roca, el inicio de lo que es bueno, nos hace justos y fuertes, como el cedro del Líbano que al final da frutos buenos, pero que comenzó siendo semilla que se alimentó de la sequedad

---

[1] Escritor judío de origen ruso, autor de *Vida y destino* y *Todo fluye*.

primero y, cuando llegó la primera gota de agua, la aprovechó al máximo como sostén de la vida y seguridad en el agradecimiento.

El hombre, cuando se impacienta y clama furioso por lo que no llega, trata de que las cosas no se den en el tiempo ni en el momento que les corresponde y así pierde el sentido de la satisfacción (*que está antecedida por la paciencia, por el entendimiento de que eso que necesito contiene en sí un hasta dónde y cuándo me es necesario*). Y en la satisfacción, que no es un obtener sino un agradecer, es donde el hombre justo se hace. Un *tzadik* (hombre justo) es un *jajam* (hombre sabio), pero no basta con serlo. Hay que ser bueno también, lo cual implica reconocer al otro y lo otro como elementos necesarios. La roca es necesaria, pues de allí brotó el agua después de un segundo golpe de Moisés. El primer golpe, fue el llamado, el segundo la respuesta al llamado. ¿Y quién llama? El que cree que la puerta se abrirá. Y si el llamado es claro, con fundamentos, sin más intenciones que encontrar al otro o lo otro, la acogida se presenta. *D's* fue llamado en la roca y la vida apareció.

La paciencia, entendida como virtud, es un llamar bien. Y no es un esperar, sino que es un construir para que el hecho se dé. Y en esta construcción, que se hace con los fundamentos, la roca se abre, el don de *D's* aparece. Así, cuando el salmista dice: El Señor es mi roca, dice: me hago humano y la vida aparece.

El Señor nos encuentra en las dificultades

Padre Hernán:

Hay muchas manifestaciones humanas, entre ellas, el dolor y el sufrimiento, que, cuando golpean a los seres humanos, pueden sumergirlos en el desespero y en la impaciencia. Dentro de este contexto, en el Salmo 116 (115), sobre todo entre los versos 10 al 17, asoma un dato sorprendente: es posible encontrar a El Señor en las situaciones límite, cuando sería más fácil abandonarlo, alejarse de él y hasta odiarlo. ¿Por qué en situaciones humanas difíciles se encuentra al Altísimo?

El salmista y su comunidad, o el pueblo de Israel en general, experimentó, en medio del sufrimiento, a Dios como su aliado: "Creo y lo diré, yo que tanto he sufrido". Las difíciles situaciones humanas pueden transformarse en oración. El primer sufrimiento fue quizá la esclavitud en Egipto; diez veces el faraón prometió la libertad, pero siempre se mostró como enemigo; solo Dios sostuvo el esfuerzo de liberación de su pueblo y cubrió su huida.

Los primeros versículos del salmo explican el contexto:

> Creo, y hablaré de ello, yo que tanto he sufrido, yo a quien me dijo mientras huía: el hombre no es sino mentira. ¿Cómo le pagaré a El Señor todo el bien que me ha hecho? ¿No soy yo, Señor, tu siervo, a quien rompes las cadenas?

Las cadenas pueden ser las del pueblo de Israel en Egipto; pero, en el transcurso de los siglos, también conoció otras cadenas y variadas esclavitudes. Y cada uno de nosotros sabe bien que la libertad, en ocasiones, es una apariencia, pues cargamos pesadas cadenas.

Una de esas dolorosas cargas es aquella de caminar por la vida con una falsa imagen de El Señor: *imaginar al Eterno como un rival del ser humano o imaginar una divinidad ávida de sacrificios humanos*. Cuando el pueblo hebreo se instaló en Canaán, estuvo en contacto con una religión que exigía sacrificios humanos; y resistió —no siempre con éxito— esta contaminación. Cuando todo va mal, cuando se teme la guerra o una catástrofe, se hace cualquier cosa; y si alguien nos convence de que, para lograrlo, hay que cumplir lo que manda una divinidad, estaríamos prestos para todo... El rey Acaz, en el siglo VIII a. C., sacrificó a su hijo, creyendo que era necesario para salvar su reinado.

Una práctica de este estilo se encuentra detrás del relato de la prueba de Abraham en el libro del Génesis (Gn 22). El descubrimiento extraordinario de Abraham fue: El Señor quiere que todo hombre viva; ninguna muerte lo honra ni quiere este tipo de sacrificios... Y cuando leemos en el salmo "le cuesta a El Señor ver morir a los suyos", la frase quizá nos remita a la prueba de Abraham.

El descubrimiento de esta verdad: "Le cuesta a El Señor ver morir a los suyos", no se logró de una sola vez. Según la versión de la serpiente del Jardín del Génesis, Dios prefería ver morir al hombre; y para el relato bíblico, este pensamiento era una tentación en la cual no se debe caer. Pero si el relato bíblico insiste es porque la tentación renace sin cesar viendo a El Señor como un rival de nuestra libertad y de nuestra existencia, como si jugara con nuestra vida a su antojo.

La relación con Dios depende de la imagen que nos hagamos de Él. En el esquema no creyente, habría dos etapas: 1) el hombre desea y 2) para lograrlo trata de engatusar a la divinidad con todos los medios posibles, hasta el sacrificio humano si fuera necesario. El salmo, por el contrario, traduce la actitud del creyente, opuesta a la anterior; hay dos etapas, sí, pero de manera inversa.

Primero, en Israel, la iniciativa siempre es del Eterno; con Adán, con Noé, con Abraham y Sara, en cada caso, es Dios quien llama a los seres humanos a la existencia y a la Alianza para la felicidad de todos y no para el provecho de Dios. Luego, cuando el pueblo sufría en Egipto, El Señor escuchó sus gritos por los golpes de los jefes en los trabajos forzados, y bajó para liberarlos de la mano de los egipcios.

> Y ahora, ya que los gritos de los hijos de Israel han llegado hasta mí y he visto el peso que los egipcios ponen sobre ellos, ahora, te envío al faraón (le dice El Señor a Moisés), haz salir a mi pueblo de Egipto, a los hijos de Israel. (Ex 3, 7 y ss., 10)

Y Dios liberó a su pueblo.

Segundo, todo gesto bueno del hombre hacia Dios es una respuesta. Por ejemplo, cuando el pueblo le da gracias, reconoce la acción de Dios: "¿Cómo le pagaré a El Señor todo el bien que me ha hecho?". Y desde entonces la acción de gracias se manifestará no solo con los sacrificios en el templo, sino también y, sobre todo, en el comportamiento cotidiano hecho obediencia a Dios. "Te ofreceré el sacrificio de acción de gracias, invocaré el nombre de El Señor. Sí, mantendré mis promesas a El Señor delante de su pueblo, en medio de Jerusalén".

El salmo cobra todo su sentido cuando lo ubicamos en la parte de los salmos del Hallel (salmos 112/113 a 117/118, los cuales se cantan en la fiesta de la Pascua). Jesús lo cantó la tarde del Jueves Santo; el Evangelio de Marcos anota: "Después de haber cantado los Salmos, salieron para ir al monte de los Olivos" (Mc 14, 26).

Aparece un parentesco entre el salmo que cantó Jesús de Nazaret el jueves en la tarde y el pronunciado en la cruz: "¿Dios, mío,

Dios mío, por qué me has abandonado?" (Sal 21/22). Ambos evocan el dolor: "Creo, y lo diré, yo que tanto he sufrido". Uno y otro terminan con la acción de gracias y casi con términos idénticos (Sal 21/22):

> Tú serás mi alabanza en la gran asamblea, delante de los que te temen te mantendré mis promesas... Ustedes que temen a El Señor, glorifíquenle, todos ustedes descendientes de Jacob... Porqué él no rechazó, no rehusó al desgraciado en su miseria; él no escondió su rostro ante él, sino que escuchó su queja.

Como un eco, el salmo asume la misma resolución: "Mantendré mis promesas a El Señor, sí, delante de su pueblo a la entrada de la casa de El Señor, en medio de ti, Jerusalén".

Dios está donde la vida corre peligro

Memo:

D's siempre se encuentra en las situaciones límite, aquellas donde la vida está en peligro. Y no solo la vida orgánica sino la espiritual, que, si se pierde, es la que peor muerte provoca, porque el perdedor de este don sigue viviendo sin saber que está vivo. ¿Y qué sería una situación límite? Aquella en la que opta por vivir o por morir, por beber del agua fresca o morir de sed, por ser en la tierra y frente a los cielos o dejar de ser y secarse como una piedra. En este punto, se encuentran los caminos que se bifurcan, donde me asumo como ser creado (*y en esta situación siempre acompañado*) o me abandono y me hundo y entro en confusión.

Svetlana Alexievich, la Premio Nobel de Literatura 2015, en su libro *Voces de Chernóbil*, tiene claro que luego de esa tragedia (*la explosión de la central nuclear*) lo único que quedó en pie fue *D's*. Los cielos se mantuvieron intactos, la tierra a pesar del impacto radiactivo, persistió en ser ella y los sobrevivientes, sabiéndose ya condenados a morir, volcaron sus esperanzas en lo que quedó de sus vidas en la voluntad de *D's*. Unos murieron; otros no. Algunos mutaron, los menos lograron no ser contaminados. Y esas voces que hablaron, que son las del libro, no estaban amargadas ni vencidas. Admitieron la soledad, la importancia de cada minuto, lo maravilloso del ver y el oír, el asombro de los encuentros, las posibilidades de la memoria, que las remitieron a buenos y malos tiempos. En un mundo contaminado por emisiones de radiación que superaron los índices de medida de los contadores Geiger, lo mejor se puso por encima de lo peor. Y lo mejor fue saberse creados por *D's* y acompañados por él. Pasa como en la película *Juicio a Dios*, en la que un grupo de judíos que saben que van a ser gaseados y solo esperan que se abra una puerta para salir camino a la cámara de gas, discuten sobre la existencia de *D's*. Unos dicen que sí, otros tratan de demostrar que no. Y en la discusión se llega a la conclusión de que no. Ya, cuando se abre la puerta, uno de ellos dice: Recemos, no tenemos más alternativa. Y en la oración, *D's* existe porque se lo ha mencionado, porque se ha cantado su magnificencia, porque para llegar a la muerte *D's* debe haber existido como dador de vida. Así no se morirá en vano.

Así que si el salmista pone de manifiesto la situación límite, no se trata de un juego literario. Es un llamado, una puesta en escena de la vida misma que cobra valor cuando sabemos que no importa lo que pase lo que sucede es parte de lo que estamos construyendo. Y no se llama al conformismo sino a la pregunta: ¿qué hacer ya que hemos llegado? Porque al llegar a un punto ya es inevitable negar que hemos llegado. Y en esta llegada, que es un encuentro, la respuesta de lo que haremos depende de la solidez de los fundamentos. Ya, en la situación límite, es donde comprobamos si el fundamento se ha entendido o no. Si el fundamento está entendido, la situación se resuelve. Si no o se carece de él, la situación se confunde.

El salmista llama a crear, ampliar y vivir los fundamentos cuando estamos en paz y nada nos perturba, pues, en la calma, se agradece y se vive el agradecimiento. Y ya, cuando parezca la situación límite, no estaremos solos, pues en los límites sabemos quiénes somos y qué nos acompaña, qué palabras tenemos y cómo y cuánto las hemos entendido. No hay desamparo entonces; es haberse querido desamparar.

Maimónides, en el *Moré Nebujim*, establece la resolución de la situación límite en el saber qué tan humanos somos, cuánto nos hemos construido y cuáles han sido nuestros agradecimientos. Así, la situación límite nos prueba y, en la prueba que se resiste, está la bendición. Supongamos que hay un hombre que tiene un martillo y un cincel y, en el camino, le aparece una piedra grande. Si sabe manejar el martillo y el cincel, logra una figura bella y, en el haber sido capaz de obtener belleza, se mejora él. Si no, daña la piedra, daña el cincel, daña la piedra y se daña él.

Ahora, los fundamentos (en este caso la Torá, que es a la que recurre el salmista) no son fáciles. No basta saber y entenderlos, hay que llevarlos a cabo y convertirlos en parte de la cotidianidad, lo cual permite encontrar su razón. Y cuando, en un caso determinado, aparece la situación límite, son los fundamentos los que aclaran la situación y logran obtener su contenido en *D's*, es decir, en la guía que *D's* da para que la vida no sea vencida o aporreada por la confusión. Y en la respuesta de los fundamentos a la situación límite, está el pago a *D's*, que no cobra sino que ha permitido sortear el problema y, así, quien lo sortea hablará del sufrimiento y de la salida del sufrimiento hacia la alegría. Y el salmista habrá tenido razón; enfrentando la situación límite, *D's* estaba ahí acogiendo. Y esta es la entrada a Jerusalén.

5. Señor, escúchanos, sálvanos, haz justicia

La amenaza de la destrucción total

Padre Hernán:

En varias ocasiones, en el curso de la historia, Israel fue amenazado de destrucción total. Y en esas situaciones límite, todo llevaba a creer que este pequeño pueblo sería pronto borrado del mapa; desde una mirada humana, esta amenaza era real y había pocas esperanzas de sobrevivir. Y, como aparece en el Salmo 54 (53), 3-8, asoma un doble grito en la oración del pueblo "sálvame Señor y haz justicia". El llamado de socorro: "Por tu nombre, oh Señor, sálvame"; y la petición de la justicia: "Por tu poder, hazme justicia".

Decir "Por tu nombre, sálvame" es invocar la Alianza con el Eterno, porque allí, en la Alianza, en el Sinaí, El Señor reveló su nombre al pueblo. He aquí el argumento más fuerte en la plegaria del salmista (*persona en comunidad*): la fidelidad del Altísimo a su propia elección, a su promesa. El escogió a este pequeño pueblo, le envió a Moisés para liberarlo y, luego, le propuso su Alianza; el pueblo solo ni lo habría pensado ni lo habría logrado.

En la Biblia, este salmo está precedido por dos indicaciones: una dice cómo cantarlo, acompañado con instrumentos de cuerdas, y la otra es más interesante, pues alude a un episodio particular de la historia de Israel: "Cuando los Sifitas fueron a decir a Saúl: ¿David no está escondido entre nosotros?". David está en mala posición: el rey Saúl, quien al principio lo había tratado como a su hijo, poco a poco, se llenó de un celo feroz. Todo le salía bien a este joven que pronto sería su rival si no desconfiaba de él; las cosas van tan mal que David huye de la corte de Saúl, pero cada vez que se refugia en algún sitio se encuentra con alguien que lo denuncia.

En el episodio en cuestión, David se escondía en las montañas de Judea cerca de un pueblo llamado Zif, y sus habitantes van a denunciarlo a Saúl. David no tiene esperanza alguna de escapar si Dios no se involucra en su vida. Su oración debió parecerse a la del salmo, es decir, al doble grito de un creyente perseguido: el primer grito es un llamado en la angustia (grito que puede transformarse en un deseo de ver la muerte de sus enemigos); el segundo grito es el grito de victoria, pues Dios no puede dejar de venir en la ayuda de quien le es fiel.

De hecho, cuando un salmo da una indicación de este tipo, no pretende afirmar que el texto haya salido de la boca o de la pluma de David; más bien trae a colación situaciones análogas a la de David, vividas por el pueblo de Israel. David no pidió nada; El Señor envió al profeta Samuel a escoger a David entre todos los hijos de Jesé y lo envió a la corte del rey Saúl para prepararse a ser rey más tarde. David nunca pensó en este proyecto por sí solo. Razón adicional para tomar con seriedad la Palabra de Dios. En este contexto, quien invoca el poder de Dios: "Por tu poder, oh Dios, hazme justicia", hace una profesión de fe: "Eres tú, el rey supremo quien me has escogido como rey".

Los sentimientos más íntimos puestos en la oración

El segundo acento de la oración es la acción de gracias, como en toda plegaria judía, pues en todo momento tiene la certeza de ser escuchado. Cuando Jesús de Nazaret en su plegaria le decía a su Padre: "Yo sé que tú me escuchas siempre" (Jn 11, 41-42), era heredero de la fe de su pueblo. De golpe, el salmista, sea David o sea el pueblo entero, preveía ya la ceremonia de acción de gracias: "Con todo el corazón te ofreceré el sacrificio" (la expresión "con todo el corazón" significa "de manera real y concreta"). Habla en futuro y no en condicional, porque su liberación es segura. Pero en esta plegaria también hay acentos de venganza, palabras de odio, y debemos admitirlo. Cuando quien ora reconoce que Dios está con él, le pide librarlo de los demás: "Pero he aquí que Dios viene en mi ayuda, el Señor es mi apoyo entre todos. Que el mal resuene sobre aquellos que me arrojan: por tu verdad, Señor, destrúyelos".

Con cierta frecuencia, hallamos palabras de este tipo en los salmos; también asoman en las profecías, por ejemplo en Jeremías. Él tiene plegarias de este género, pero a veces también hay en ellas una exposición de la grandeza de la vocación profética, aunque con acentos de venganza: "Señor, tú que gobiernas con justicia, que examinas sentimientos y pensamientos, veré la revancha sobre ellos, ya que a ti remito mi causa" (Jr 11, 20). "Señor, véngame de mis perseguidores. Que no sea víctima de tu paciencia contra ellos" (Jr 15, 15). "Que sean cubiertos de vergüenza mis perseguidores y no yo; que sean afligidos ellos y no yo. ¡Haz venir sobre ellos el día de la desgracia, rómpelos a golpes repetidos!" (Jr 17, 18).

Este tipo de violencias verbales nos choca y buscamos la manera de censurarlas; por ejemplo, en muchos grupos religiosos, cuando se ora con los salmos, frases de este estilo se eliminan en la edición impresa de la Liturgia de las horas o del salterio o del leccionario litúrgico. ¿Pero en el nombre de quién censuramos las Escrituras? De ahí surge una primera lección: no hay solo sentimientos piadosos en los salmos. No cambiemos nuestros sentimientos delante de El Señor. Mostrémonos tal como somos, porque es El quien nos transformará.

El Señor está comprometido con nosotros en la lucha contra todo cuanto daña al ser humano; el mal es también su enemigo: "Que el mal recaiga sobre quienes me esperan" es la plegaria de David perseguido por Saúl; muchas veces, David estuvo tentado de vengarse y se rehusó; él resistió porque se remitía a Dios para que se preocupara de cuidar y arreglar los pleitos con sus enemigos, en particular con Saúl. Muchas veces, David encontró en El Señor la fuerza para no vengarse.

Una oración de este género ("la desgracia caiga sobre quienes me persiguen") refleja ya un progreso de la conciencia del pueblo elegido: han aprendido a no vengarse por sí mismos y más bien se remiten a Dios. El, quien es la justicia, no dejará de "hacer justicia". He aquí una etapa importante en la pedagogía bíblica. Quedará por descubrir que la venganza con odio no es una buena manera de recobrar la dignidad y el perdón engrandece mucho más a quien lo otorga sin pedir nada a cambio. En la historia de la humanidad, vemos personas capaces de perdonar a sus verdugos e incluso orar por ellos: Gandhi, Luther King, Nelson Mandela, María Goretti...

Por tanto, cuando encontramos frases de venganza en los salmos, estamos invitados a tener un corazón de hermanos: hay en la superficie de la tierra varones y mujeres sin más recursos que el odio y la sed de venganza para cuidar su dignidad. Digamos esta primera oración con ellos para que resistan a la tentación de vengarse. Y quizá tendremos el coraje de ayudarlos. Luego, nada nos impide añadir, en su nombre, una oración como esta: "Señor, perdónalos, porque no saben lo que hacen".

Dios salva a quien está con Él

Memo:

D's salva a quien está en Él. Y confunde a sus enemigos y, en la confusión, está la destrucción. Y no porque lo destruye aplastándolo, sino porque lo llama y el enemigo no escucha. El salmista, entonces, pide que *D's* llame a los enemigos y ellos, al no escucharlo, se destruyen a sí mismos. Y en esta autodestrucción, como dicen los rabinos sefardíes, está el castigo de quien ataca a quien tiene fundamentos.

En el judaísmo, el credo es simple: *Shemá Israel, Adonay eloheinu Adonay ejad* (escucha Israel [Jacob] nuestro *D's* es uno). Y al ser uno *D's*, la Torá es una y el pueblo es uno. Y en esta unidad, llama a sus fundamentos (*a Jacob, al padre de las tribus de Israel, de sus tribus*) y el pueblo se hace uno en la Torá, que es la presencia de *D's* entre los judíos, siendo esta presencia el cumplimiento permanente de las normas invariables para que la vida se dé en orden.

Por ese motivo, clamar, pedir, llamar, no es otra cosa que conservar los fundamentos, que son, en todo su contenido, en la medida en que *D's* existe. Y ese *D's* existe en la situación límite, que es donde se manifiesta con su mayor fuerza y bondad, con la certidumbre del fundamento y su perennidad. Y cuando el salmista pide la destrucción del enemigo, reclama la destrucción del mal. Porque el mal está ahí y se multiplica a más velocidad que el bien, pues se fundamenta en deseos, emociones y en desorden (no admitir responsabilidades), lo cual seduce a los más débiles, que son los que se niegan a ser lo que son y quieren ser otros y en lo otro, es decir, evadiendo su condición de ser y estar, incumpliendo con la vida y rompiendo toda norma para dar salida a su egoísmo. Contra ese mal clama el salmista, pidiendo "sálvanos", "déjanos ser humanos".

Isaac Bashevis Singer[1] siempre inmiscuye en sus libros a los demonios, que son cohorte y no paran de tentar a los hombres y a las mujeres con asuntos como el poder (político y económico), los honores y la sensualidad. Y estos tres elementos, que son la raíz del mal, pues deforman lo humano y convierten la realidad en meros deseos y luego en tragedia, son la representación del mal en sus novelas. Y siguiendo a Baruj Spinoza, que en su *Tratado de la reforma del entendimiento* establece como medios el poder, el honor y la sensualidad pero nunca como fines, el escritor judeo-polaco narra la caída de los grupos humanos, esa caída que no concluye porque el mal está presente y seduce con engaños, enceguece y destruye los fundamentos benefactores.

Y ese mal no es invisible sino que tiene forma: aparece en las costumbres que se deforman, en las palabras que agreden y mienten, en los silencios frente a lo que se debe protestar, en la carencia de amor y en un yoísmo que niega al otro o lo quiere convertir en su esclavo. Contra esto clama el salmista, que usa nombres para que el mal se vea, señala al mal igual que hicieron los profetas, pide que los justos[2] sean salvados para que la vida no se pierda.

Nos salvamos en la justicia y en la rectitud, en la misericordia y en la compasión, que son la esencia de los fundamentos. Y quizá por esto se asume el perdón, pues nadie es el mal sino que ha sido seducido por el mal. Pero ese perdón no es olvido sino un abrir una puerta a quienes no han admitido la Torá para que entren en ella.[3] Y al entrar, dejen el mal y asuman la vida como debe ser:

---

1 Premio Nobel de Literatura 1972. Escribió en yidis y se hizo famoso por su trilogía *La casa de Jampol*, *Los herederos* y *La familia Moskat*, libros en los que narra la caída humana.

2 Sobre 36 justos, de todas las naciones, se sostiene el mundo, dice el Talmud y lo reafirma el Pirkei Avot (Tratado de los padres).

3 El judaísmo, desde la Torá, dio la Torá a quien quisiera recibirla. Así que no es una propiedad exclusiva judía, sino que le pertenece también a cualquier hombre que quiera entenderla (en el entendimiento está la posesión), pues en ella se contiene la vida.

una responsabilidad para ser humanos. Y cuando el salmista dice: Sálvanos, quiere decir danos fortaleza y seguridad de que nuestros fundamentos son ellos y no otra cosa, que deben persistir y no dejarse romper por sueños y deseos, imaginarios y confusiones.

El ser humano, desde cuando nace, tiene la misión de destruir el mal. Y en la medida en que lo destruye, la vida aparece clara y limpia, fresca y acogedora. Y dadora, porque la vida (que es la razón de ser del salmista) da en el bien y siembra la muerte en el mal, que no es una muerte física sino el dolor de no ser pudiendo haber sido.

Llamar, siempre llamar, porque en el llamado está la advertencia de que la vida es una y buena y, si se destruye, vivir ya carece de sentido. No sé cómo clamaría hoy el salmista, cuando todo se ajusta a índices de medida material y no de crecimiento humano. Quizá como ha clamado siempre, llegando bien al oído de los justos, que se cuidan de perder lo esencial: *ser ellos con y hacia los otros en calidad de dadores de alegría y destructores del miedo*. Porque el mal está en el miedo, y este promete, seduciendo, salir de ahí y hundir más a quienes lo siguen. Por esto, el salmista pide que el mal recaiga sobre sus enemigos, es decir que vuelva y caiga sobre los que son malos para hacerlos más evidentes y el justo pueda evitarlos.

La profesión de fe de Israel

Padre Hernán:

Quiero seguir su hilo conductor cuando cita el credo de Israel, "*el shemá*", en el libro del Deuteronomio. En este libro, se hallan también las siguientes palabras:

> Pregúntales a los días desde antes de ti, desde el día en que Dios creó a la humanidad sobre la tierra y de un extremo al otro del mundo: ¿ha habido algo más grande? ¿Se ha oído algo semejante? Se te ha dado ver para que sepas que El Señor es Dios y no hay otro fuera de él… Guarda sus leyes y sus mandatos que te doy hoy para tu felicidad y la de tus hijos después de ti, a fin de que prolongues tus días sobre la tierra que te da El Señor tu Dios todos los días (Dt 4, 32-40)

También se puede expresar de esta forma: "Israel, *ojalá escuches, guardes y practiques lo que te hará feliz*" (Dt 6, 3).

Estas referencias del libro del Deuteronomio traen a la memoria el Salmo 9, 8-14, el cual es una auténtica letanía en honor a la Torá; en Israel y en todas las comunidades judías del mundo, cada año se celebra durante el otoño, en los últimos días de septiembre o en los primeros de octubre, una gran fiesta en honor a la Ley; se la llama *Simhat Torah*, es decir, "la alegría de la Ley". ¡Imaginemos que entre nosotros hubiera un día de fiesta en honor al código civil! Y, a través de la Ley, es al legislador a quien se festeja; el legislador es Dios, El Señor.

En Mesopotamia, la ley se llamaba el código de Hammurabi; entre nosotros, la Constitución nacional; pero en Israel se llama la Torá de Dios, y en esa letanía sobresalen estas frases: "La Torá (la Ley) de El Señor", "la carta de El Señor", "las decisiones de El Señor"... Esta simple repetición indica el sentido: en realidad es una cuestión de Dios, de quien reveló su nombre a Moisés como *El Señor*. Quien escogió a su pueblo entre todos los pueblos de la tierra y lo liberó... Aquel que le propuso su Alianza a su pueblo para acompañarlo en toda su existencia... Aquel que sigue su obra de liberación y le propone su Ley...

Ante todo, el pueblo de Israel experimentó la liberación obrada por El Señor. Y los "mandamientos" están en la línea directa de la salida de Egipto; son un asunto de liberación, Dios lo "hizo salir" de las cadenas de la esclavitud y lo hará salir de todas las demás cadenas que le impiden ser feliz. Esta es la Alianza eterna. El éxodo era la nueva ruta hacia la Tierra Prometida: *la obediencia a la Torá es el camino hacia la verdadera tierra prometida, la patria de la humanidad.*

La ley se compara con un camino del cual nunca hay que desviarse. Por ejemplo, en el trascurso de la celebración de esta fiesta de la Ley, se lee un pasaje del libro de Josué y se emplea esta imagen:

> Cuida de obrar según la ley que te prescribió Moisés, mi servidor. No te apartes ni a la derecha ni a la izquierda a fin de que triunfes en todas partes a donde vayas. Este libro de la ley no se alejará de tu boca: lo musitarás noche y día con el fin de obrar de acuerdo con cuanto está escrito aquí. (Js 1, 7-8)

Sí, debemos estar atentos para evitar cualquier paso en falso y no desviarnos de este camino, porque es el único camino de felicidad.

Una gran certeza surge de la Biblia*: Dios quiere felices tanto al ser humano como a la entera comunidad y les da el medio, un medio muy sencillo*: basta escuchar la Palabra de Dios inscrita en la Torá. El camino está marcado, los mandatos son como los postes al borde del camino para alertar sobre un eventual peligro. Día a día, la Torá es nuestra maestra y nos enseña. La raíz de la palabra *torá* en hebreo significa, ante todo, "enseñar" (*tur*). "La carta de El Señor es segura, y hace sabios a los sencillos", dice el salmo. Los sencillos son quienes aceptan con humildad dejarse enseñar por Él. Se cuidarán de no desviarse ni a derecha ni a izquierda de su camino. Y con el único fin, caminar en la felicidad.

El libro del Deuteronomio presenta este argumento de una manera semejante:

> Y ahora, Israel, ¿qué espera de ti El Señor, tu Dios? Solo espera que temas a El Señor tu Dios, siguiendo sus caminos, amando y sirviendo a El Señor, tu Dios, con todo tu corazón, con todo tu ser, guardando y cumpliendo los mandatos de El Señor y las leyes que te doy hoy para tu felicidad. (Dt 10, 12-13)

Se encuentra aquí el famoso "temor de Dios" y "El temor que inspira el Señor es puro", dice nuestro salmo; el "temor de El Señor" no es el miedo sino una atención vigilante para desplazarse por el camino de Dios, pues no hay otro camino para la felicidad. He ahí el descubrimiento inesperado de la Biblia: si Dios exige la obediencia a los mandamientos, es porque se trata de nuestra felicidad. ¡No de su felicidad!

Pero, a la vez, hay otra actitud posible: ante quienes se esfuerzan por permanecer en el camino recto, están los "orgullosos", es decir, quienes se alejan de los mandatos y quieren llevar la vida según sus ideas. En lenguaje bíblico, quieren trazar su camino ellos solos. Asoma así un personaje muy conocido, a quien la Biblia llama "el Adán", es decir, quien pretende determinar, él solo, dónde están la felicidad y la desgracia. El hombre de la Biblia sabe con claridad que no debe caer en esta trampa del orgullo: de allí la oración de los humildes en el último versículo del salmo: "Preserva a tu servidor del orgullo: que no tenga ningún dominio sobre mí".

El profeta Miqueas parece hacerle eco al comentario del Salmo 9: "Te ha hecho conocer, oh hombre, lo que es bueno, lo que El Señor exige de ti: nada más sino respetar el derecho, amar la fidelidad y aplicarte a caminar con tu Dios" (Mi 6, 8). No hay otra exigencia, y no hay otro camino para ser felices. En el Salmo 119/118, otra letanía en honor a la Ley, hallamos la misma obsesión del orgullo y del orgulloso: "Estos malditos orgullosos que se alejan de tus mandamientos" (v. 21). "Los orgullosos se ríen de mí, pero yo no me desvié de tu Torá" (v. 78). "Los orgullosos han hecho una fosa contra mí, despreciando la Torá" (v. 85). "Garantiza la felicidad de tu servidor, que los orgullosos no me opriman" (v. 122).

El término *orgullosos* siempre se opone al orante de la Torá: "de la Ley, de los mandamientos, de los preceptos". Peor todavía, los orgullosos no se contentan con desobedecer la Ley, sino que quisieran llevar hacia el mal a los "humildes", a quienes se esfuerzan por permanecer fieles. Tal vez esta imagen nos ayude a entender mejor el sentido del pecado: si nuestras faltas a la Torá de Dios son graves, es porque comprometen nuestra felicidad y la de los demás: porque nuestra felicidad es la única preocupación de Dios. Lo dice el salmo a propósito de quienes observan los mandatos: "Tu servidor es iluminado; al guardarlos, encuentra su provecho" (v. 12).

La alegría por la Torá

Memo:

Simjat Torah (la alegría de la Torá) es una festividad que se celebra después de *Sukot* (la fiesta de las cabañas)[4] y que da pie a la primera *perashá*[5] del año religioso judío, que habla de la creación del mundo y del hombre en él. Y en esta alegría de la fiesta, los judíos bailan con la Torá y extienden el rollo completo de manera

---

[4] Que magnifica haber pasado por el desierto y haber estado protegidos por *D's*. *Sukot* se celebra cuatro días después del día del perdón (*Yom Kipur*), cuando el judío renace y vuelve y se recupera.

[5] Lectura que se hace semanalmente de un trozo de la Torá, siguiendo el orden en que fue escrita.

que cada miembro de la comunidad sostenga un trozo, lo cual simboliza que el judío es por la Torá y en la Torá. Y que su tarea es sostenerla como elemento de identidad y de vivir bien sobre la tierra (elemento de la que fue hecho el hombre).

Pero la Torá no es una cosa, sino una enseñanza sobre cómo vivir sin temores y así entender más y mejor la Creación, que es lo que nos hace posibles. Y no se enseña para memorizar, sino para que cada uno la haga propia, es decir, para que viva con ella y así, presente en cada acto y en cada relación, la vida fluya como debe ser. Y al fluir, sea alegría, que es ausencia de tristeza, de confusión y de muerte. Así que la Torá nos hace humanos, pues su enseñanza, que es la vida en orden, nos une al sentido de estar en la tierra, crear comunidades, proteger lo dado y dar lo obtenido, que ha sido mejorado (toda enseñanza practicada es una ampliación del mundo y de ser en el mundo) para los que vienen.

Y aclaro, la Torá no cambia, es invariable y nunca será alterada,[6] porque sus palabras contienen lo que se revela, lo que nos hace frente a las situaciones y lo que nos sostiene en cualquier circunstancia. Si una de sus palabras fuera cambiada, si un sonido fuera afectado, quedaría faltando algo. Pero la Torá es completa, como la vida de un varón y una mujer son completas cuando su enseñanza ha sido cumplida. Ya, al momento de morir, no ha faltado nada de esa vida en cuestión de tiempo y movimientos, de acciones y reconocimientos. Pero si la Torá está incompleta, como cuando un individuo no la cumple, la vida no ha sido completada y morir es un dolor por no haberlo hecho, pues se muere con vacíos y no con plenitud, que es lo que la Torá enseña: *ser completos*.

El salmista se alegra de cumplir la Torá. Y en este cumplir, la fidelidad es la alegría, pues no se es fiel a la palabra sino a lo que contiene la palabra, y en cada palabra de la Torá, no importa cuál sea, la alegría está presente, aun en la palabra *muerte* que contiene la vida, en la palabra *caos* que contiene el orden, en la palabra *mentira* que contiene la verdad. Y la enseñanza, que es un conocimiento y en la Revelación es entendimiento, no puede producir más que alegría, como bien dice Baruj Spinoza, pues esa alegría nace de haber resuelto un problema y, con el problema resuelto, la vida

6 Este es uno de los 13 principios de fe que establece Maimónides.

sigue en orden, entendiendo más lo que es bueno y reconociendo más lo que es malo.

Obedecer la Torá no es someterse como un ciego a ella, sino ser en ella para obtener la libertad, sentir que la vida da y no quita, es avanzar sin temor por el camino y vivir en lo que es bueno, siendo lo bueno una constante en crecimiento que me mejora como ser humano y a la par se mejora lo que hay en mi entorno cercano, pues mis actos son actos de bien y lo que les sucede a los otros y a lo otro es bueno. No es de extrañar que Emmanuel Lévinas haya sacado el concepto de su ética de la alteridad de la Torá. Siendo yo bueno, lo demás se convierte en bien, aun lo peor, que se me muestra como error y debe ser evitado. La Torá es la vida que se ha creado, es la enseñanza de los órdenes por seguir, es la obediencia a todo aquellos que nos hace bien. Y si hay temor de *D's*, es porque reconocemos el error que cometimos en la vida y, al reconocerlo, tememos de nosotros mismos, al habernos salido del orden. A *D's* no se le teme, nos tememos a nosotros mismos cuando nos salimos de la Torá, cuando se rompe la obediencia a cuanto nos hace bien.

Shmuel Yosef Agnon[7] escribe un pequeño libro, *Juramento de fidelidad*, en el que establece que somos fieles a la vida cuando obedecemos a los fundamentos que nos la hacen posible. Y esos fundamentos son la enseñanza que ya está en nosotros, nos guía y nos lleva a que cada cosa o evento tenga su real valor, para que no falte o desborde. Por esto, para que la Torá sea entendida en toda su fortaleza, en el judaísmo se ha escrito el Talmud (la enseñanza amplia) para que cada una de las cosas que la Torá enseña sean debatidas, entendidas a partir del ejemplo, y signadas ya como invariables y fundamentales.

Ser humildes es ser hombres que hacen honor al haber sido creados de tierra y para estar en la tierra de acuerdo con cada orden creado. Y como la Torá, la tierra no debe ser adulterada sino amada, pues, al obedecer a *D's*, se obedece a la vida, que es nuestra única posibilidad de vivirla y, con el entendimiento y el cumplimiento de los fundamentos, de trascenderla. La humildad es la aceptación de la vida creada y de nuestra vida en ella.

---

[7] Premio Nobel de Literatura 1966. Escribió en hebreo y en yidis.

6. La alegría de las peregrinaciones

El canto de la peregrinación

Padre Hernán:

Cuando nos acercamos a algunos pasajes, no solo de los salmos, sino de la Biblia hebrea en general, encontramos frases sobre el dolor y el sufrimiento. Pero como bien ha quedado manifiesto en estos últimos diálogos, también hay en la Biblia un amplio espacio para la alegría, el canto, la peregrinación, el anhelo de llegar a la Ciudad santa, a Jerusalén, al Templo, a la casa de Dios. Este es el argumento de varios de los salmos, en particular, del Salmo 128 (127).

Este salmo lleva un subtítulo: "Cántico de las subidas". Quince salmos, del 119/120 al 133/134 en la Biblia llevan esta misma inscripción, lo cual quiere decir que fueron compuestos para ser cantados, no en el Templo de Jerusalén durante las innumerables ceremonias de las fiestas de las Tiendas, que duraban ocho días durante el otoño, sino en el curso de la peregrinación en la subida a Jerusalén. Cuando se conoce la ruta de Jericó a Jerusalén, entendemos que el término *subida* se volvió sinónimo de peregrinación. Por ejemplo, en Isaías: "Llegará en el futuro… que pueblos numerosos se pondrán en marcha y dirán: vengan, subamos a la montaña de El Señor" (Is 2, 3).

El Salmo 128 (127), en su contenido, hace pensar que se cantaba al final de la peregrinación sobre las últimas gradas de la gran escalinata del Templo. He aquí la estructura: se presenta como un diálogo entre los sacerdotes y los peregrinos; en la primera parte, los sacerdotes, a la entrada del Templo, recibían a los peregrinos y les hacían una última catequesis:

> ¡Feliz el hombre que teme a El Señor y camina según sus caminos! ¡Tú te alimentarás con el trabajo de tus manos: feliz de ti! ¡A ti el bienestar! Tu mujer será en la casa como una vid generosa, y tus hijos en torno a la mesa como plantas de olivo.

Después, en la segunda parte, la respuesta: un coro o un conjunto de peregrinos responde: "Sí, he aquí cómo será bendito el hombre que teme a El Señor". Tercera parte, los sacerdotes retoman la palabra y pronuncian la fórmula litúrgica de bendición: "¡Que Sión, que el Señor te bendiga! Verás la felicidad de Jerusalén todos los días de tu vida y verás a los hijos de tus hijos". El objeto de la bendición asoma muy aterrizado, la insistencia de la Biblia sobre la felicidad y el éxito nos dan esperanza. Nuestra sed de felicidad tan humano y el deseo de éxito familiar se unen al proyecto de Dios sobre nosotros... Dios nos ha creado para la felicidad y nada más. ¡Alegrémonos!

El término *felices* vuelve con frecuencia en la Biblia, como lo hemos dicho ya en otros lugares de esta conversación. Tan frecuente que hasta podríamos decir que está demasiado lejos de nuestras realidades concretas; ¿no parece irónico frente a nuestros fracasos humanos y a las desgracias que vemos todos los días hablar de felicidad?

En realidad, esta palabra no pretende ser una constatación un tanto fácil, como si de manera automática los hombres rectos y justos estuvieran seguros de ser felices... Todos los días vemos lo contrario. De hecho, el término *felices* es una voz de aliento. André Chouraqui traduce "en marcha", entendiendo "ustedes están en el buen camino, ¡ánimo!". Es el mismo sentido de las bienaventuranzas, que encontramos en la Biblia hebrea. Por ejemplo, "Felices quienes tienen hambre y sed de justicia... Feliz el hombre que no toma el partido de los malvados... Feliz el hombre que se aplica a la Sabiduría... Feliz el pueblo que tiene a Dios como su Señor...". Todas estas afirmaciones son de hecho voces de aliento: como "ustedes escogieron el buen camino, ¡adelante!".

El Salmo 128 (127) dice: "Feliz el hombre que teme a El Señor y camina por sus sendas": quien camina por los caminos de Dios, ha escogido el buen camino. Nada de extraño que le digan: "¡Feliz eres tú, que has escogido el buen camino, continúa adelante!". Pero nos sorprende en este versículo hallar juntos los términos *temor* y *felicidad*. El paralelismo entre las dos líneas del versículo nos lo puede aclarar: "Feliz el hombre que teme a El Señor y (es decir) camina por sus sendas". En muchos casos, la conjunción *y* puede reemplazarse por *es decir*; dicho de otra forma, "temer a El Señor", es "caminar por sus sendas". El temor de Dios implica una dimensión de obediencia a su voluntad, ¡pero, cuidado, no es por sus represalias! El creyente sabe que, con el Dios de amor, no hay represalias.

También André Chouraqui traduce el versículo de esta manera: "Adelante, tú que eres *tembloroso* de Dios". Es el temblor de la emoción y no del miedo. El hombre bíblico empleó mucho tiempo para descubrir que Dios es amor; pero, desde cuando descubrió a un Dios de amor, no hay más temor. El pueblo de Israel tuvo este privilegio de descubrir a la vez la grandeza de Dios que nos sobrepasa de manera desbordante. Pero, a la vez, el ser humano descubre la proximidad, la ternura de este mismo Dios. El "temor de Dios", en el sentido bíblico, no es el temor primitivo, es más bien la actitud del niño pequeño que ve en su padre a la vez la fuerza y la ternura. Confía en él y no rechaza seguir sus caminos.

Otro salmo compara el temor de Dios y la ternura filial: "Como la ternura de un Padre por sus hijos, así es la ternura de El Señor con quien le teme" (Sal 102/103, 13). El temor de el Señor implica dos aspectos: ternura y sumisión, ya que ambos son sinónimos de confianza.

Por último, observemos una fórmula que quizá choque a quienes entre nosotros conocen los problemas de su trabajo: "¡Te alimentarás con el trabajo de tus manos: Feliz, tú! ¡A ti la felicidad!". Quizá los problemas de desempleo no existían cuando se escribió el salmo. Esto prueba al menos que la Biblia siempre ha tenido una mirada positiva sobre el trabajo; Dios confió la Creación al hombre; recordemos a Adán puesto en el Jardín de Edén, para cultivarlo y cuidarlo; fórmula ideal que significaba la confianza que Dios tiene en el hombre al darle la responsabilidad de la Creación.

La alegría y el bienestar

Memo:

En hebreo, hay dos palabras que por su contenido se parecen: *Shimjat*, que es alegría colectiva, y *Osher,* que es bienestar, tanto individual como de la comunidad.

Ambas palabras son el resultado de no haberse salido del camino y a la vez de ser útiles con la mano, que convierte en hecho la idea que aparece en la mente. En este sentido, la Torá recomienda a cada judío tener un trabajo manual, que proporciona el pan, no importa cuál sea la situación.

En la actualidad, se desprecia lo hecho por la mano. Y este desprecio nace de que la máquina (debidamente programada) hace más rápido lo que se hace con la mano: talla, redondea, se ajusta a un modelo estándar, produce en serie y sin cansarse. En otros términos, produce a más velocidad y, para el dueño del bien de capital, es más rentable trabajar con máquinas y robots que con humanos.

Sin embargo, la máquina, por carencia de subjetividad, no se alegra con lo que hace. Y en esta carencia de alegría, ella produce sin crecer y sin agradecer. Y a la par le quita a un hombre su trabajo. Y se podrá decir que tenemos que avanzar más, el desarrollo es una palabra que obnubila y, en los avances y el nuevo conocimiento obtenido, crear una nueva sociedad. Pero, dada su condición, el hombre no tiene cómo ver hacer sino hacer él mismo. La satisfacción nace de hacer posible con la mano su propio sustento, su familia y el integrarse en la naturaleza como transformador y no en calidad de depredador. Y, además, la mano entrenada, la que sabe usar los materiales y la herramienta debida, no se equivoca. Y al trabajar aprende (son los logros del oficio) y encuentra en lo que produce respuestas a su propia vida, que es también un trabajo que se hace de seguido para no perderla ni dejarla perder. Un trabajo que con la experiencia mejora y, como se propone en la celebración del *sabbat*, se admira cada semana.

Vivimos en una sociedad mecanizada y, en la medida en que avanza, el hombre se mecaniza y pierde la noción de que está vivo. Y, en este sentido, el salmo es una alerta: *hay que regresar a la mano, a lo que esta proporciona cuando se enfrenta a un material y lo transforma*. Y, en esta transformación, entra en contacto con los bienes de la tierra y entiende que lo que hay para uso del hombre lo ha producido la tierra (la propia esencia del hombre) y esta se entiende con la mano, tocando, calculando peso y textura, largo y objetivo.

Y en el logro de la mano, obtener un motivo para agradecer, pues la mano es la herramienta de la inteligencia y, a la vez, la posibilidad de sobrevivir en cualquier escenario. ¿Qué pasaría si falla el sistema informático? Habría que saber escribir, sumar, almacenar información, hacer libros de cuentas, papel y lápices (al menos cálamos). ¿Y cuántos saben usar la mano para que no haya caos? ¿Y qué sucedería si fallan los sistemas eléctricos y las máquinas se detienen? Sobrevivirían quienes saben usar la mano para sembrar, recoger la cosecha, ordeñar, criar animales, tejer, apisonar la tierra para hacer ladrillos… Y alguien me dirá, estás loco, pues lo que hay se mantiene y… Pero lo que es cosa no es eterno (la segunda ley de la termodinámica lo demuestra) y, si las cosas que hoy tenemos, que tuvieron su origen en las manos, no funcionan, quedan las manos. ¿Pero educamos las manos?

Las máquinas no son capaces de pensar por más que el hombre sueñe con que esto pasará, pues las máquinas están ligadas al pasado (trabajan con resultados esperados) y carecen de noción de futuro. Y en un cambio de escenario fracasan. En Chernóbil, por ejemplo, los robots fundieron sus sistemas operativos a consecuencia de la radiación y solo hombres que trabajaron con la mano (los famosos liquidadores) lograron que la situación no fuera más grave. Y si bien murieron a causa del trabajo, superaron a las máquinas. Pasa igual con los aviones, que no importa qué tan modernos sean, mantienen vigente el sistema manual de operación y, por eso, los pilotos se mantienen en la cabina.

La mano del hombre, este don (es capaz de hacer la pinza), que escribió la Torá y los salmos, es la única que funciona cuando la situación se complica. Y es la única que manifiesta la Creación. No creo que Miguel Ángel se haya equivocado pintando la mano de Dios uniéndose a la de Adán. Con esto, indicaba que con la mano (y el hombre es el único que la tiene) se podían hacer las cosas posibles para la vida del hombre y el desarrollo de su inteligencia. Así que el salmista, cuando habla del hombre alegre porque usa la mano, está hablando del hombre que ingresa en el *Osher* y ahí, sabiendo que la mano es útil, agradece a *D's* tener una mano que transforma y lo transforma para bien.

En el judaísmo, la Torá se sigue escribiendo a mano, igual que el contenido de las *mezuzot* y las cajitas de los *tefilin*. Y se escriben a mano porque la esencia del hombre debe pasar a lo que hace. Y en eso que hace están sus fundamentos.

Las manos siembran las semillas en los campos

Padre Hernán:

El Salmo 126 (125) en el último versículo (6), desde una traducción bastante literal, dice: "Él va, él va llorando, lanza la semilla; él viene, viene alegre, trae las gavillas". Ha pasado una época de tristeza, comienza un tiempo nuevo y, desde ahora, el pueblo cultiva *sus* tierras, es el propietario de *su* cosecha, todo lo ha labrado con sus brazos y las obras de sus manos y de sus dedos están bendecidas por el Señor. La constatación de este don y de la presencia divina generan una profunda alegría. El gozo por las obras de las manos.

Pero, más a fondo, está la alegría de la toma de posesión del país, porque, de ese modo, el territorio revive. Ya las profecías, como aquella de Jeremías, anunciaban el regreso al país. Cuando este salmo se escribió, el regreso había pasado: "Cuando el Señor reunió a los cautivos en Sión". Sabemos la historia: el gran poder de Babilonia, vencido a su vez por los persas, ahora el nuevo dueño, Ciro, tiene otra política: cuando se apodera de Babilonia en 538 a. C., envía a sus países respectivos a los exiliados por Nabucodonosor. Los habitantes de Jerusalén se beneficiaron de esta decisión como los demás pueblos. Parecía tan milagroso que Ciro es considerado como un enviado de Dios.

El Salmo 126 evoca, por tanto, la alegría, la emoción del regreso: "Nos parecía soñar". En el exilio, habían soñado tantas veces… y cuando sucede el retorno apenas si lo creían. Esta liberación es para el pueblo una verdadera resurrección y, a fin de evocar esta resurrección, el salmista trae a colación dos imágenes muy queridas por el pueblo de Israel: *el agua y la cosecha*.

La imagen del agua corre así: "Recuerda, Señor, a nuestros cautivos, como torrentes en el desierto". Al sur de Jerusalén, el Néguev es un desierto; pero, en la primavera, corren torrentes de las pendientes y aparecen fuentes de agua por los riachuelos. La segunda imagen: cuando el grano de trigo se siembra, por las manos del sembrador, es para que se pudra y, aunque en apariencia, muere…, cuando salen las espigas hay un nuevo nacimiento: "Al ir, iban llorando, tiran la semilla; al venir, vienen cantando trayendo las gavillas". Es la evocación de la alegría que suscita cada nueva cosecha. En todas las civilizaciones, la cosecha, obra de las manos de los campesinos, cuyas manos sienten bendecidas desde lo alto, siempre ha sido un espacio de alegrías.

"Traen la gavillas": la fiesta de las Tiendas, en el pueblo de Israel, era antes una fiesta de la recolección. En la práctica de Israel, quedan los ritos de la traída de las gavillas. Cada año se canta este himno (Salmo 126) en el curso de la peregrinación mientras "subían" a Jerusalén para la fiesta de las Tiendas. Si miramos la Biblia, este salmo forma parte de los llamados "los cantos de las subidas" (es decir, de las peregrinaciones, de las cuales hablamos hace poco).

Pero cuando en Israel se evoca el pasado, no es por el placer de hacer historia. Se da gracias a Dios por sus obras en el pasado, se hace memoria, pero sobre todo para sacar la fuerza de creer en su acción definitiva en el mañana. Esta liberación, el regreso a la vida, que podemos datar en momentos de la historia, se convierte en una razón para esperar, otras liberaciones. Como ya se había cantado la liberación de Egipto, se cantaba la liberación y el regreso del exilio en Babilonia, y se oraba a Dios para apresurar el día de la liberación definitiva. Por este motivo, la acción de gracias se mezcla con la oración: "Recuerda, Señor, a nuestros cautivos".

Estos "cautivos" son, ante todo, quienes se quedaron lejos, dispersos entre los pueblos extranjeros. Pero son también todos los seres humanos: Israel tiene una vocación para orar por toda la humanidad. Para decirlo de otra forma, Israel sabe que su vocación, su "elección", es servir a la humanidad. Esta afirmación es más clara en la segunda estrofa del salmo: "¡Decían entre las naciones: qué maravillas hace el Señor por ellos!": no es para presumir; es el reconocimiento de la gratuidad de la elección que Dios hizo de un pequeño pueblo, no mejor que los otros (como dice el libro del Deuteronomio 7, 7-9); se trata más bien de la alegría misionera de ver a las naciones que se hacen sensibles a la acción de Dios; primer paso hacia su conversión y, por tanto, hacia su liberación.

La liberación definitiva de toda la humanidad, de las "naciones", es la venida del Mesías. La fiesta de las Tiendas tenía una dimensión de espera mesiánica muy fuerte. En el trascurso de esta fiesta, por ejemplo, se hacía esta gran procesión con las gavillas de las cuales habla el salmo, cantando los *hosanna* (es decir, "salva a tu pueblo"); y también otra expresión muy conocida: "Bendito el que viene en nombre de El Señor", aclamación anticipada del Mesías. Después de tantas aventuras, el pueblo de Israel está en condiciones de darnos una soberbia lección de esperanza y de espera: confiemos en el "dueño de la mies", para seguir cultivando la tierra con nuestras manos.

Sembrar y cosechar

Memo:

El Salmo 126 invita a ir y a regresar, a sembrar y a cosechar. En la ida, vamos colocando la semilla; y en la venida, recogemos el fruto. Y en la vida vamos siempre y, a cada paso que damos, es una semilla que dejamos, es la huella, el sitio en el que nos apoyamos para seguir. Pero no es un ir hasta la muerte sino un regresar cada tanto a las raíces. Pasa con la fiesta del *sabbat*: qué tanto caminamos en la semana y, al regresar a la mesa con *jalá* y vino, con luces encendidas y las mejores apariencias; qué tan bien estamos, pues somos de acuerdo con la cosecha. Y pasa igual en todas las festividades judías, en especial en *Rosh Ha Shaná*[1] y *Yom Kipur*, en las que al regresar (toda festividad es un regreso) se evalúa lo que se hizo y lo que hicimos con él.

En el judaísmo, la palabra para designar la historia es *Zajor*. Y *Zajor*, antes que una suma de eventos, es el regreso a teatralizar los acontecimientos para vivirlos de nuevo. Pasa en *Pésaj*, que se vuelve a comer el pan de los esclavos[2] para, comiéndolo, pasar de nuevo a la libertad lograda. ¿Cómo entender algo sin el pasado? Aun cuando sea algo nuevo y nunca visto por nadie, para tratar

1 Año nuevo religioso judío, a partir de la creación del hombre.

2 La *matzá*, el pan ácimo.

de entenderlo le buscamos un parecido. Y ese parecido viene del pasado. Por esta razón, *Zajor* sería retornar a lo que nos hizo posibles, a los fundamentos que nos fueron dados y al tiempo en que se nos dio. Y al regresar, no a un lugar sino a un tiempo,[3] el hombre se recupera, adquiere de nuevo las razones de su identidad y tiene elementos para valorar lo bueno que construyó en el ir. E interpretando al salmista, podríamos decir: comenzamos sin nada y regresamos con mucho. Iniciamos sembrando y al final esa semilla se hizo cosecha cuando regresamos.

Vale la pena anotar que fue durante el exilio en Babilonia cuando se comenzó a escribir el Tanaj y el Talmud. Los exilados, que salieron llorando hacia el exilio, regresaron alegres a Jerusalén. Y salieron sembrando mientras sembraban las semillas de lo dicho y regresaron con la cosecha de la memoria escrita, ya imposible de variar. El exilio fue una especie de tamiz por donde se pasó lo que era oral y salió lo que debía ser escrito. Y al mismo tiempo fue el lugar de la paciencia, de la fe, del saber que egresarían cuando llegara el *Mashiaj*[4] o lo indicara con señales. Y esa señal fue el rey persa Ciro, que permitió el regreso y la alegría de regresar, porque cada piedra y yerba del camino hablaban, cada paisaje y cada fuente de agua. Sobre los pasos de quienes fueron al exilio, al regreso ya estaban las gavillas. El mundo se hizo hermoso, la Ley se magnificó. Y la semilla fueron los fundamentos y la cosecha los fundamentos ampliados en su entendimiento.

Los cautiverios y los exilios han resultado siempre, por duros que sean, beneficiosos, pues en ellos cribamos lo que tenemos y somos y hacemos nuestro pan con los resultados. Y no importa qué pase a nuestro alrededor, los fundamentos nos defienden de eso que nos quiera dañar o engañar. ¿No resistieron los judíos en el cautiverio de Egipto, donde llegaron a ser esclavos? ¿No salió de ahí un pueblo fortalecido al que *D's* le dio las instrucciones para vivir en las tablas del Sinaí? Y en Babilonia, en medio de un mundo distinto del que habían conocido, que los atraía con placeres y desmesuras, ¿no persistió el hebreo como la lengua de la memoria? Y si

---

[3] En el judaísmo no existen los lugares santos sino los días santos. Días que siempre existirán así ya no haya judíos en el mundo.

[4] Término hebreo para Mesías.

bien se tomó el arameo como la lengua del exilio (en la que se escribió el Talmud y Zohar), no por ello se dejó la lengua fundamental, que fue la de las semillas, como bien explica el *Séfer Yetzirá*.[5]

Los cautiverios y exilios son como la tierra que acoge la semilla y la nutre, la fortalece y al final la convierte en *etz* (árbol). Y en esos sitios de paciencia y esperanza, de dolor y recogimiento, el ser humano se humaniza y los fundamentos que lo crean se convierten en todo lo que tiene y le permite seguir con vida. ¿Cómo, entonces, no alegrarse cuando se sale del exilio o del cautiverio y ver que los árboles están florecidos, que sobre lo malo se impuso lo bueno y que *D's* nunca abandonó sino que pulió? La siembra nos obliga a doblar la espalda y levantarnos con las manos vacías. La cosecha, en la que también la espalda se dobla, lleva a que levantemos las manos llenas. Y este doblarse, que es un someterse, también es la obediencia a lo que nos hace y, a su vez, la señal de respeto y agradecimiento.

El salmista tiene razón cuando dice: Lloraron al ir y le alegraron al regresar. Al ir se perdía lo que se había construido, pero en el exilio los reunió lo que eran. Cuando regresaron, sin haber perdido identidad, se alegraron y Jerusalén los acogió, pero no como a sus hijos sino como a quienes no la olvidaron. Y al no olvidarla estaba ahí. "Si te olvidare, Oh Jerusalén, se seque mi diestra".

---

[5] Zohar, libro de los resplandores. Séfer Yetzirá, el libro de la Creación.

7. La memoria: traer el pasado para celebrarlo hoy

Volver al pasado desde el presente

Padre Hernán:

Volver al pasado desde el presente es retornar a los fundamentos, lo traemos para vivirlo, para actualizarlo y lanzarnos al futuro apoyados en la historia. Esta realidad nos permite acercarnos al Salmo 146 (145), de manera especial a los versículos 5-10. Allí, al final de estos versos, se halla la siguiente frase: "Tu Señor, Oh Sión, por siempre". Es decir, la plegaria de Israel tiende hacia el futuro; no evoca el pasado como un simple recuerdo, sino toda una actualización para fortalecer su esperanza. Y así, cuando el Señor le dio su nombre a Moisés, lo dijo de dos maneras: el famoso nombre, impronunciable en sus cuatro letras y que traducimos de ordinario como "El Señor".

Pero también se puede leer una fórmula más desarrollada: "Ehyeh asher ehyeh", cuya traducción es motivo de variadas apreciaciones, por ejemplo: en presente "Yo soy el que soy", o en futuro "Yo seré el que seré". Una forma de decir la presencia constante y por siempre entre su pueblo. Tal vez no se deba olvidar que el verbo hebreo *hayah* se refiere más al acontecer, al suceso, a la historia y, por ese motivo, el sentido sería "ustedes pueden conocer de mí, que hago historia con ustedes", le dice El Señor a Moisés. Yo camino con ustedes en toda su historia: desde el ayer, hasta el hoy, mientras tienen la esperanza del mañana.

Si volvemos a la frase inicial, encontramos la palabra "Señor", otra manera de acercarse al nombre divino, revelado a Moisés en el famoso episodio de la zarza ardiente (Ex 3, 1-16). Allí también fue clara otra manifestación de El Señor: Él es: presencia permanente, actuante, liberadora de Dios en cada instante de la vida de su pueblo.

El salmo en cuestión y otros textos de la Torá repiten con frecuencia: "El Señor es tu Dios". En la Biblia, la expresión "mi Dios" o "tu Dios" es siempre el recuerdo de la Alianza maravillosa, de la aventura de la Alianza entre Dios y su pueblo escogido: *Alianza a la cual nunca El Señor le falló*; más aún, El Señor nunca le ha fallado a los suyos, a las personas, a su pueblo.

Ahora bien, el adverbio "por siempre" mira no solo al futuro, sino que abarca el presente para fortalecer el compromiso del pueblo. Es útil repetir y orar con frecuencia este salmo a fin de reconocer no solo la verdad de la acción de Dios en favor de su pueblo, sino también para trazarse una línea de conducta: porque, en definitiva, este inventario es también un programa de vida. Si Dios ha obrado así con Israel, el pueblo se siente movido a hacer otro tanto por los demás; los excluidos del mundo (y de nuestra sociedad) no conocerán el amor que Dios les da sino a través de quienes son los primeros testigos.

Cuando el pueblo de Israel canta este salmo, cuenta su propia historia. "el Señor hace justicia a los oprimidos... afligidos... hambrientos...". Y le da gracias por la protección indefectible de Dios. Israel ha conocido estas situaciones: la opresión en Egipto de la cual Dios lo liberó "con mano fuerte y brazo extendido"; y más tarde la opresión en Babilonia y también allí intervino Dios.

El salmo fue escrito con bastante probabilidad después del regreso de Babilonia, quizá para la dedicación del Templo restaurado. La dedicación del Templo reconstruido se celebró con gran alegría y fervor. El libro de Esdras cuenta: "Los hijos de Israel, los sacerdotes, los levitas y el resto de los deportados tuvieron una gran alegría al dedicar esta casa de Dios" (Esd 6, 16). Todo el salmo está impregnado por la alegría del regreso al país. Una vez más, Dios viene a gustar su fidelidad con la Alianza; liberó a su pueblo, obró como su propio padre, su vengador, su "goel", su liberador, como dice la Biblia. Cuando Israel lee su historia, da testimonio de la compañía indeclinable de su Señor a lo largo de las luchas por su libertad: "El Señor hace justicia a los oprimidos; El Señor recupera a los afligidos".

Israel conoció el hambre en el desierto, durante el Éxodo, y Dios le envió el maná y las codornices para su alimento: "A los hambrientos les da el pan". Y, poco a poco, descubrió que El Señor, de manera sistemática, toma partido por la liberación de los afligidos, por los ciegos a quienes devuelve la vista y por los pequeños y los débiles de toda clase para recuperarles su dignidad.

A estos ciegos, El Señor les abre los ojos, a ellos Dios se les revela poco a poco por los profetas desde hace varios siglos: son estos afligidos a quienes Dios levanta, les da identidad y los hace mantener en pie; a este pueblo en busca de justicia, Dios lo guía ("Dios ama a los justos"). Por tanto, este salmo es un canto de reconocimiento:

> El Señor hace justicia a los oprimidos
> a los hambrientos les da el pan
> el Señor abre los ojos a los ciegos
> el Señor levanta a los afligidos
> el Señor ama a los justos
> el Señor protege al extranjero, sostiene a la viuda y al huérfano. Tu Dios, oh Sión, por siempre.

De allí la insistencia de la Ley de Moisés y de los Profetas sobre este punto. Para empezar, la Torá estaba para educar al pueblo a conformarse poco a poco con la compasión de Dios: por esta razón, traía numerosas normas de protección para las viudas, los huérfanos, los pobres y los extranjeros. Porque Dios conduce a su pueblo sin cansarse y, a través de él, a toda la humanidad, por el largo camino de la liberación. La Torá no tenía sino un objetivo: *hacer de Israel un pueblo libre*, respetuoso de la libertad de los otros.

En cuanto a los profetas, es ante todo en la actitud hacia los pobres y los afligidos de toda clase como ellos juzgaban la fidelidad de Israel a la Alianza. Si hacemos un inventario de las palabras de los profetas, vemos cómo sus llamados al orden se centran, sobre todo, en dos puntos: una lucha enconada contra la idolatría y los llamados a la justicia en el derecho y la preocupación por los otros. Hasta atreverse a decir de parte de Dios: "Pues quiero la misericordia y no los sacrificios; el conocimiento de Dios y no los holocaustos" (Os 6, 6). Y también: "Te hago saber, oh hombre, lo que es bueno, lo que El Señor te exige: nada más sino respetar al otro, respetar el derecho, amar la fidelidad y caminar en humildad con tu Dios" (Mi 6, 8).

Para terminar, conocemos la frase del *Libro de Ben Sirac*: "Las lágrimas de la viuda corren por las mejillas de Dios" (Si 35, 18). El pueblo de Israel está seguro de este gesto, y son todas las lágrimas de quienes sufren las que corren por las mejillas de Dios... Y si en verdad estamos tan cerca de Dios, es lógico que las lágrimas deberían correr también por nuestras mejillas. ¿No fuimos creados a su imagen y semejanza?

Vida para todos, vida para los pobres

Memo:

La palabra *siempre* o *por siempre*, en hebreo, es *L'Olam*[1] (*L'Olam vaed*), que igual querría decir permanecer en el mundo y en el tiempo, siendo una constante invariable. Pues la creación está en el Creador, es su manifestación y, al ser este eterno, su creación (la vida en todas sus formas) es eterna. Y en ese siempre está el Nombre (*Ha Shem*), que define y permite nombrar a partir de los fundamentos para vivir, para creer, que están implícitos en el entendimiento para que el hombre, que es quien se da cuenta de lo que vive, viva.

La vida en un hombre es corta, pero la vida de muchos hombres es extensa. Los hombres han creado el pasado (dan testimonio de ello), lo han habitado y reflexionado, y de ese pasado se alimentan los hombres y las mujeres que habitan el presente. Y en este ser en dos tiempos, que son los únicos posibles para nosotros, *D's* habita los tres que concebimos: *pasado*, *presente* y *futuro*. Es el que fue, es y será, pero no por partes sino en un todo. Cuando los musulmanes hablan de *Aláh*, la presencia de *D's*, están indicando que no hay tiempo en el que *D's* no esté. Y no hay tiempo que no

---

1 También *Le Olam*.

se trascienda en *D's*, acotarían los rabinos. Porque el tiempo es entendible en *D's* y no en las cosas (que siempre son finitas).

Y en ese tiempo, que es fundamental porque la vida se contiene ahí, están los fundamentos. Y esos fundamentos, en palabras de Moisés, están en futuro: no tendrás más que un *D's*, no mentirás, no matarás, no codiciarás, honrarás tus orígenes… ¿Y por qué en futuro? Porque siendo nosotros pasado y presente, siempre estamos entrando en el futuro; esta es la condición de estar vivos. Al cerrar los párpados, ya se ingresa en el futuro al abrirlos. Y en ese futuro está el camino que hacemos y, en este hacer, la seguridad de avanzar lo dan los fundamentos. Así, que no se trata de haber hecho sino de hacer, estar haciendo y lograr hacer con miras a mejorar. En la Torá se avanza, nada está quieto, lo que hicimos es lo que estamos haciendo y lo que pasó lo que nos pasa. Y, así, en el presente somos potencia que nace del acto y propicia otro acto mientras vivamos.

En alguna camiseta veraniega que vi, leí un letrero: "hoy es el mañana que ansiábamos ayer". Entonces, el salmista, al cantar "Sión por siempre", no está hablando de un lugar lejano sino de Sión a un paso, el que damos cuando convertimos el futuro en presente, que es algo constante. Y en Sión está el contenido de los fundamentos, en ser siendo Sión, que más que una colina en las afueras de Jerusalén, es un estado de entendimiento y de presencia del Nombre. Un estado pasado, presente y futuro. Y lo que hagamos en Sión, será pasado presente y futuro. Y esto, que parece un juego de palabras, no lo es: *Sión es el tiempo en el cual la presencia de D's se manifiesta siempre*. Y esa presencia, en los fundamentos, es un siempre, un *L'Olam*, lo que nos permite el bienvivir y haber estado bien en pasado, presente y futuro.

Los verbos son los que hacen posible al sujeto, pues sus acciones son sobre la tierra y con relación al cielo. Y los verbos, cuando se colocan en futuro, son la señal de lo que hay que hacer, afirmando, o evadir, cuando van antecedidos del no. El no, en los fundamentos, es la señal para no dañar la vida. El no, en hebreo *Lo*, está escrito con la letra *lámed*, que, en su simbolismo, es la serpiente que ataca, el veneno que llega, un daño a la vida. Así, cuando un verbo en futuro va precedido de un no, es una señal de peligro. Y considero el verbo en futuro porque toda acción acometida ya es y la que está por acometer todavía no ha sido. Y lo que se hace ya es siempre y lo que se hará también.

No se equivocó entonces Moshé Rabenu[2] al determinar la entrada al siempre a partir del futuro, que es una creación del pasado. Y en el asunto del tiempo, que carece de inicio y de final, que es la vida en sí en proceso de transformación, los fundamentos son invariables, pues son ellos los que permiten que la vida sea en el orden en que ha sido creada, que es el *Ha Shem* (el Nombre), que lo contiene todo y por eso pronunciar este nombre es imposible, incluso llamándolo todo, pues la totalidad se limita y Él carece de límites.

Por siempre, *L'Olam*, se acompaña de la palabra *Amén*, que sea así pues así es. Y decir *Amén* ya es un compromiso (lo obligado) con la vida y con los fundamentos.

La vida en el Dios único

Padre Hernán:

Las reflexiones sobre *D's* y *L'Olam* nos llevan, como de la mano, al Salmo 16 (15) sobre todo en los versículos 1 al 11. ¡En estas frases todo parece tan sencillo! *Dios, eres tú y solo tú, mi Dios; no amo a nadie más que a ti…* una relación "perfecta", como si fuera un matrimonio ideal… Y conocemos el canto inspirado en esta relación tan especial: "Tú eres, Señor, el lote de mi corazón, tú eres mi herencia; en Ti, Señor, he puesto mi felicidad, Tú eres mi única parte".

En realidad, el salmo traduce un combate tremendo, el de la fidelidad a la fe: para no renegar de la opción por El Señor a pesar de la persecución del rey griego Antíoco Epífanes, como sucedió en el siglo II a. C., en la época de los Macabeos y referido en medio de imágenes por el libro de Daniel.

Este combate para mantener la fidelidad fue la lucha de Israel desde un comienzo. Si Moisés, desde el momento del Éxodo, se mostró tan firme es porque el peligro de la idolatría era muy real: baste recordar el episodio del toro (becerro) de oro (Ex 32). Bajo el

---

2 Nuestro maestro en hebreo.

pretexto de que Moisés tardaba un poco para bajar de la montaña, el pueblo se olvidó de sus bellas promesas. Había prometido: "Haremos todo lo que Dios nos ha dicho". Y Dios había pedido no hacerse estatuas, pues era peligroso... ¿Por qué es tan peligroso caer en la idolatría? Porque se termina por creer que en verdad existen otros dioses a quienes se les dará toda la confianza. Sí, pero es demasiado incómodo este Dios inaccesible, lejano; no sabemos nada de Él, no tenemos nada de Él. Entonces, ya que Moisés se demoraba, fueron a convencer a Aarón y fabricaron una la estatua del toro en oro.

Y luego, de nuevo, cuando entraron en Canaán, el peligro de la idolatría fue permanente: cuando las cosas no van como se quisiera, cuando llega la guerra, el hambre, la epidemia... ¿no piensan que valen más dos seguridades que una? Y, luego, ¿quién nos dice que nuestro Dios, que nos ha acompañado desde el Sinaí, tiene poder aquí en Canaán? ¿No será más bien Baal, el dios de los cananeos, quien reina aquí?

Cuando no se sabe a qué santo acogerse, como decimos hoy, nos sentimos inclinados a rezarles a todos los dioses posibles e imaginables. Y sabemos lo sucedido: la fe en el Dios de Israel no bastó ni fue suficiente y por ese motivo hubo, en el pueblo, momentos en los cuales abandonó a El Señor.

En este contexto, los profetas tuvieron una lucha encarnada contra la idolatría a lo largo de la historia bíblica. Porque Dios nos quiere libres y la idolatría es la peor de las esclavitudes. El Salmo 16 traduce en forma de oración la predicción de los profetas: resuena un poco como una resolución, el sí de los creyentes y, al mismo tiempo, la súplica dirigida a Dios para que nos ayude a mantenernos en el bien. He aquí algunos versículos:

> Guárdame, Dios mío, yo he hecho de ti mi refugio. He dicho a El Señor: ¡Tú eres mi Dios! No tengo otra felicidad que Tú. Todos los ídolos del país, dioses que no terminan de extender los estragos y corre tras ellos. ¡No les voy a ofrecer la sangre de los sacrificios: su nombre no llegará a mis labios! (vv. 1-4)

El peligro es real; aun los mejores sucumben. Se trata de sacrificios humanos, pero no solo; en Israel cualquier gesto, cualquier práctica religiosa debe dirigirse solo al Dios de la Alianza y solo a Él, porque es el único Dios vivo, el único capaz de llevar al pueblo por su difícil camino de la libertad. Dios es el único Dios, no solo para Israel, sino para toda la humanidad. Y se volvió evidente que la exclusividad de Dios respecto de su pueblo es la contraparte de la Alianza, de la elección de Israel. Dios escogió gratis a este pueblo y se le reveló como el único Dios; si Israel responde de manera comprometida a esta vocación aferrado a su Dios, entonces cumplirá su misión de testigo del Dios único ante los otros pueblos. Pero si se permite rendirles culto a otros dioses, ¿qué testimonio dará? De ahí la gran exigencia de los profetas.

En el Salmo 16 (15), Israel ilustra su estatus muy particular de pueblo escogido, cuando se compara con un levita: "Señor, tú eres mi heredad y mi copa: de ti depende mi suerte. La parte que me toca hace mis delicias; tengo la mejor de las herencias". Estas expresiones son alusiones a la situación particular de los levitas; en el momento de repartir la Palestina entre las tribus de los descendientes de Jacob, los miembros de la tribu de Leví no recibieron una parte del territorio: su parte era la Casa de Dios (el Templo), el servicio de Dios... Su vida entera estaba consagrada al servicio del culto; su subsistencia estaba asegurada por las limosnas y por parte de las ofrendas y de las carnes ofrecidas en sacrificio.

La posición de Israel como pueblo consagrado a Dios en medio de la humanidad es análoga al estatus particular de los levitas en Israel. Esta fidelidad (del levita y de todo el pueblo de Israel), esta consagración al servicio de El Señor es fuente de grandes alegrías: "Dios mío, he hecho de ti mi refugio, tú me enseñas el camino de la vida; delante de tu rostro, desbordo de alegría. A tu derecha, eternidad de delicias".

Pensemos la última frase: "¡A tu derecha, eternidad de delicias!". La eternidad aquí no supone todavía la posibilidad de una resurrección individual surgida entre la comunidad judía hacia el siglo II a. C. El verdadero sujeto de todos estos salmos no es nunca un individuo particular, sino siempre el pueblo de Israel como una entidad comunitaria. El pueblo tiene la seguridad de vivir para siempre, porque es el pueblo elegido del Dios vivo. Y cuando se compuso el salmo, mucho antes del libro de Daniel, nadie imaginaba aún la posibilidad de una resurrección individual.

De la misma manera, el versículo: "No puedes abandonarme a la muerte, ni dejar a tu amigo ver la corrupción", no es una proclamación de fe en la resurrección individual, sino una petición para la supervivencia del pueblo; en verdad, con el profeta Daniel, muchos judíos de la corriente farisea comenzaron a proponer y a creer en la resurrección de los muertos, y se leyó este versículo en este sentido: "Mi corazón exulta, mi alma está de fiesta... Tú no puedes abandonarme a la muerte... A tu derecha (espero) una eternidad de delicias". Por tanto, nuestro Señor es un Dios de vivos y no de muertos (Ex 3, 15).

La vida es una herencia

Memo:

Es evidente que la vida es una herencia: heredamos la tierra, el agua, el aire, los días y las noches. Y esa herencia, que ningún ser humano construyó, es la Creación que nos hace posibles en el mundo. Y esa herencia que nos llega a todos los nacidos por igual, incluidos los animales y las plantas, es única y total, intransferible, siempre ahí y eterna. No hay otra como ella para los seres vivos, lo que buscan y los logros por encontrar. Y para ser nosotros, estamos atados a la vida, no hay más que ella. El salmista no se equivoca cuando llama a los vivos, como los *Yom Terúa* (cuando se hace sonar el *shofar*[3]) a que rindamos cuentas y, al tiempo, a que esas cuentas que damos nos certifiquen que pudimos ser felices, trabajamos para ello y lo logramos al fin porque nunca nos salimos de los fundamentos, porque se tuvo claro esto de que "Tú eres mi heredad y mi copa", es decir, se usó bien la herencia y dio frutos. Con la copa, se anuncia la vida lograda (*L'Jaim*) y se brinda por ella.

Para los creyentes, somos en *D's*; para los ateos, en la vida. Y así como *D's* es perfecto, la vida es perfecta: se ha hecho para nosotros, nos hace posible todo y, en esa posibilidad, nos hacemos nosotros. Así que no somos en el azar ni en la contradicción. Y si bien cuando se pierden los fundamentos aparece la contradicción, esta es destruida por la vida misma que no deja de ser la que heredamos siendo siempre ella y no otra. Y siendo la vida ella, la he-

[3] Cuerno de carnero que se hace sonar en las grandes festividades de *Rosh Hshaná* y *Yom Kipur*.

rencia que se usa y se conserva, dota al hombre bueno de felicidad y al malvado de desgracia. El hombre bueno tiene espíritu (que es lo que crean los fundamentos) y es en la vida fluyendo como un arroyo fresco por ella. El malvado, así tenga cosas y se alabe a sí mismo a través de ídolos, no tiene nada, pues la vida es en los órdenes creados y, cuando se la destruye (ya con hechos, ya con fabulación), no se inmuta y quien se destruye es el destructor, ese que se ha traicionado a sí mismo yendo de un ídolo a otro, de una mentira a otra, de un escape a otro.

Y como *D's*, vida no hay sino una. Y salirse de ella, de los fundamentos que la sostienen, es caer al abismo. La historia (que cuenta lo que pasó) habla de manera permanente de quienes se salieron del camino. Hombres fuertes, ricos, armados, que al final murieron como las bestias (como habían vivido), a oscuras, abandonados de sí, perdidos en su confusión y en medio del estorbo que le causaron las cosas que idolatró. Ya la literatura reafirma estos hechos y anuncia que quien no ha estado en la vida no ha sido él, sino un sufrimiento que se muerde a sí mismo, que es la condición del traidor. Y la vida, como se mantiene por encima de todo, no castiga al traidor: es él mismo el que se castiga, quien se arranca la lengua, se hunde en los gritos de su silencio y, al final, se anula clamando por esa vida que se le dio y no quiso ver, que iba con él y traicionó.

Que el salmista le cante a la vida en la medida en que le canta a *D's* no es un asunto de poesía, sino de sentir la realidad (la real idea) de estar vivo y con todas las posibilidades a mano. Posibilidades que no son cosas sino manos, vista, oído, inteligencia, entendimiento, fundamentación; en otras palabras, lo que me hace real en el mundo, con un espacio y un pensamiento que entienda bien que la herencia está en mí, que la vida es su contenedor y, si daño el contenedor o contamino el contenido, soy yo el que se daña y se contamina. La vida no hace nada, solo acoge para ser habitada. Y depende de nosotros que la acogida sea grata. Según Martin Buber, somos un Yo frente al Tú, siendo ese Yo quien configura al Tú, el que recibe del Tú según la calidad[4] del Yo que pide. Y es

---

4 La palabra *calidad* es muy interesante: viene de la palabra *qualitas* y esta, a su vez, de *kalé-kalos*, que traduce lo que es hermoso (lo que está en orden y por eso tiene un lugar debido).

Tú que responde bien cuando se llega a él con fundamentos. O es eso, cuando los fundamentos se pierden, que es estar en la vida ignorando que se está en ella.

El judaísmo es una religión de vida, pues es en la vida donde *D's* está. Por esto, cada comida es un agradecimiento; cada voz que llega y enseña, otro. Cada día que pasa siempre enseña y reafirma los fundamentos de la Torá, porque solo en ellos somos para estar en la vida plena y por fuera de ellos ya no se es nadie y vivir así, confusos, ya es una muerte.

Por esta razón, como se ha reflexionado, los salmos contienen toda la vida de un hombre, sus alegrías y sus tristezas, sus angustias y tranquilidades, sus pérdidas y sus logros, sus palabras y la fundamentación (siempre cantada, siempre agradecida, siempre protectora) para que exista el camino y no se pierda la herencia recibida, ni la copa que es símbolo de agradecimiento por haber servido a la vida, a la presencia eterna de *D's* que hay en ella y, como resultado, a nosotros mismos, que somos por la vida. Y la vida es la justicia y su representante el hombre justo, que al serlo ya es a imagen y semejanza de *D's*.

Somos a imagen y semejanza de *D's*, esa es la herencia que recibimos. Quien la conserva en estado de justicia y de derecho se mantiene en la premisa. Quien no, ese que la dilapida y daña, pierde la posibilidad de verse en *D's* y, perdida la posibilidad, se ve en nada y vivió en vano, sin ser creado.

Conclusión

¿Cómo orar hoy con los salmos de Israel? Habría muchas propuestas. Para nosotros, un punto de partida fundamental es valorar su origen. Los salmos nacen de una profunda experiencia cotidiana, de un pueblo sencillo, lleno de Dios, que con pasión describe su amistad con El Señor. Por eso, los salmos no solo son palabras recitadas con los labios, sino una oración cantada a Dios, porque allí se encuentran las palabras de los seres humanos con las palabras de El Señor, en una comunidad, en una asamblea comunitaria, en una Iglesia.

Los salmos cantan la vida interna y externa de las personas en la comunidad; por allí pasan amigos y enemigos, la vida y la muerte, la salud y la enfermedad, el dolor y la alegría, la cosecha y la fiesta, la guerra y la paz… En estas situaciones, Dios nos habla, nos hace hablar, nos enseña a hablar con él, con oraciones forjadas desde el corazón para el Dios de la vida, quien conoce nuestras motivaciones. El salterio (150 salmos), en definitiva, es un texto pequeño, para reflejar de manera completa tantos aspectos culturales, religiosos, civiles, sociales de Israel… Y sin embargo, su teología sigue vigente hoy.

Los salmos nos invitan a leer la obra de Dios en nosotros, en la historia, en la Creación, como expresión de su cercanía y su amistad con las creaturas. Nos regalan los elementos necesarios para leer a fondo el corazón del ser humano, para revisar las motivaciones más hondas de las decisiones cotidianas, para reconducir cada alegría y toda dificultad hacia la confianza en Dios.

Los salmos nos arropan para leer con limpieza la historia de un pueblo, capaz de poner en el centro de su existencia a Dios, y desde allí forjar la comunidad querida por El Señor, donde se busca la felicidad de todos los seres humanos y el bien de la entera Creación.

Si los salmos leen nuestra vida en esta historia, entonces, como oración, nos devuelven al núcleo de la existencia, a los orígenes, a los fundamentos, a las experiencias fundantes. Ellos nos enseñan a asombrarnos frente a la vida regalada, a interrogarnos frente a la vida amenazada, frente al drama del mundo. En la oración, descubrimos que el estupor y la angustia delante de la vida se transforman en una plegaria de súplica y lamento. Así, la experiencia de los salmos no tiene nada de extraño frente a las experiencias humanas de hoy, pues nos hacen madurar, nos llevan a graduales tomas de conciencia, para que el corazón (fuente de las decisiones en la Biblia), asuma y transforme la alegría y el dolor.

Estas dos situaciones comunes de la vida humana: *el gozo* y *el sufrimiento*, tienen, al menos, un punto de encuentro. Ellos se unen en la única oración a Dios, quien es el mismo y no cambia, en ambas situaciones. La alabanza y el lamento, el estupor y la angustia, la riqueza y la pobreza, se transforman por el contacto con la presencia de El Señor, invocado en toda circunstancia.

Para acercarnos con provecho a los salmos, en el contexto de la oración, debemos apreciarlos, no solo como un documento escrito, especial o aislado, de un pueblo inmerso en una cultura antigua. El sentido original de un salmo se comprende cuando un creyente lo asume como su oración a Dios. Quien toma un salmo como su oración queda envuelto en una corriente: la fuerza dinámica de El Señor. Es el movimiento generado por el Espíritu de El Señor.

Bibliografía

Aletti, Jean Noël y Jacques Trublet. *Approche poëtique et theologique des psaumes*. París: Cerf, 1983.

Alonso Schökel, Luis y Carnitti, Cecilia. *Salmos*. Estella: Verbo Divino, 1992.

Bonhoeffer, Dietrich. *Los salmos: el libro de oración*. Bilbao: Desclée de Brouwer, 2010.

Bortolini, José. *Conocer y rezar los salmos*. Madrid: San Pablo, 2011.

Brueggermann, Walter. *El mensaje de los salmos*. México: Universidad Iberoamericana, 2008.

Collin, Matthieu. *El libro de los Salmos*. Estella: Verbo divino, 1997.

Cortese, Enzo. *La preghiera del re*. Bolonia: Dehoniana, 2004.

Farner, William R. "Salmos 42-89". En *Comentario Bíblico Internacional*, editado por William R. Farmer, Armando Levoratti, Sean McEvenue, 752-767. Estella: Verbo Divino, 1999.

Trapiello, Jesús García. *Introducción al estudio de los Salmos*. Salamanca: San Esteban, 1997.

Instituto Internacional de Teología a Distancia. *Introducción al Antiguo Testamento*, Madrid: IITD, 1993.

Jüngling, Hans-Winfried. "Salmos 1-41". En *Comentario Bíblico Internacional*, editado por William R. Farmer, Armando Levoratti, Sean McEvenue, 712-751. Estella: Verbo Divino, 1999,.

Kraus, Hans-Joachim. *Los Salmos* (2 vol.). Salamanca: Sígueme, 1993-1995.

— *Teología de los Salmos*. Salamanca: Sígueme, 1985.

Mailhiot, Guilles-Dominique. *El libro de los Salmos*. Madrid: San Pablo, 2005.

Martínez Pérez, Justino. *Espiritualidad de los Salmos*. Madrid: San Pablo, 2013.

Merton, Thomas. *Orar los Salmos*. Bilbao: Desclée de Brouwer, 2005.

Pagola, José Antonio. *Salmos: para rezar desde la vida*. Madrid: PPC, 2011.

Pongutá Hurtado, Silvestre. *El clamor de un pueblo* (2.ª ed.). Caracas: ABS, 1993.

Ravasi, G. "Salmos 90-150". En *Comentario Bíblico Internacional*, editado por William R. Farmer, Armando Levoratti, Sean McEvenue, 768-785. Estella: Verbo Divino, 1999.

Ravasi, Gianfranco *Il libro dei Salmi* (3 vol.). Bolonia: EDB, 1983.

Trebolle Barrera, Julio. *Libro de los Salmos I: himnos y lamentaciones*. Madrid: Trotta, 2010.

Trebolle Barrera, Julio. *Libro de los Salmos II: religión, poder y saber*. Madrid: Trotta, 2010.

Thabut, Marie-Noëlle. *L'intelligence des Écritures. 6 Tomes. Magny les Hameaux* (France): Soceval Éditions, 2004.

SU OPINIÓN

Para la Editorial UPB es muy importante ofrecerle un excelente producto.
La información que nos suministre acerca de la calidad de nuestras publicaciones será muy valiosa en el proceso de mejoramiento que realizamos.
Para darnos su opinión, comuníquese a través de la línea
(57)(4) 354 4565 o vía e-mail a editorial@upb.edu.co
Por favor adjunte datos como el título y la fecha de publicación,
su nombre, e-mail y número telefónico.

Este libro se terminó de imprimir
en los talleres de Panamericana Formas e Impresos S.A.
en el mes de abril de 2017.